Ce livre
appartient à

Mon Premier Grand Livre d'Animaux

Mon Premier Grand Livre d'Animaux

Edité par **BIAS**

BIAS

© 1991 Michael O'MARA Books Ltd.

© 1991 BIAS
pour la version française

ISBN 2 7015 0474 0

Dépôt légal : 1ᵉʳtrimestre 1991

Imprimé à Singapour.

Loi nº 49956 du 16 Juillet 1949 sur les publications
destinées à la Jeunesse.

TABLE DES MATIERES

GROS-ELEPHANT ET PETIT-ELEPHANT

Gros-éléphant faisait toujours le fanfaron.

« Je suis plus gros, et je suis mieux que toi, » disait-il à Petit-éléphant. « Je peux courir plus vite, je peux gicler l'eau plus loin que toi, je peux manger plus, et... »

« Non. Tu ne peux pas ! » dit Petit-éléphant.

Gros-éléphant s'étonna. Gros-éléphant avait *toujours* raison. Alors il releva sa trompe en rond, et se mit à rire, mais à rire.

« Et en plus, je vais te montrer, » dit Petit-éléphant.

« Faisons la course, un concours de lancer d'eau, et un concours de nourriture. On verra bien qui gagnera. »

« C'est moi, évidemment, » fanfaronna Gros-éléphant. « Le lion sera l'arbitre. »

« D'abord la course ! » fit Lion. « Parcourez à la course deux kilomètres aller, et deux kilomètres retour. L'un d'entre vous courra dans la prairie, et l'autre dans la forêt. Gros-éléphant choisira. »

Gros-éléphant réfléchit très longtemps, et Petit-éléphant fit semblant de se parler à lui-même. « J'espère qu'il choisira de courir dans la prairie, parce que *moi* je veux absolument courir dans la forêt. »

Quand Gros-éléphant entendit cela, il pensa : « Si Petit-éléphant souhaite si fort courir dans la forêt, ça veut dire que la forêt est mieux. » Et il annonça : « Je choisis la forêt. »

« Très bien, » dit Lion. « Un, deux, trois. Partez ! »

Petit éléphant avait des petites pattes, mais elles coururent très vite sur l'herbe tendre et souple de la prairie.

Gros-éléphant avait de grandes pattes robustes, mais elles ne pouvaient pas le porter très vite dans la forêt. Des branches cassées se trouvaient en travers du chemin ; des épines le blessaient ; des lianes le retenaient prisonnier. Et quand il arriva enfin en trébuchant, épuisé, et hors d'haleine au poteau d'arrivée, Petit-éléphant avait déjà fini la course, et parlait à Lion.

« Ça fait des heures qu'on t'attend ! » dit Petit-éléphant. « On pensait que tu t'étais perdu. »

« Petit-éléphant a gagné ! » fit Lion.

Petit-éléphant sourit en lui-même.

«Mais je vais gagner la prochaine épreuve,» dit Gros-éléphant. «Je peux lancer de l'eau avec ma trompe bien plus loin que toi.»

«D'accord!» dit Lion. «L'un d'entre vous remplira sa trompe à la rivière, l'autre à l'étang. Gros-éléphant choisira.»

Gros-éléphant réfléchit pendant très longtemps, et Petit-éléphant fit semblant de se parler à lui-même :

« J'espère qu'il choisira la rivière, parce que *moi,* je veux absolument remplir ma trompe à l'étang .»

Quand Gros-éléphant entendit cela, il pensa : « Si Petit-éléphant veut tellement remplir sa trompe dans l'étang, ça veut dire que l'étang est mieux . »

Et il annonça : « Je choisis l'étang. »

« Très bien ! » dit Lion.

« Un, deux, trois. Partez ! »

Petit-éléphant courut vers la rivière et remplit sa trompe d'eau limpide et claire. Sa trompe était petite, mais il lança un jet d'eau aussi haut qu'un arbre.

Gros-éléphant courut vers l'étang, et remplit sa longue et large trompe d'eau. Mais l'eau de l'étang était boueuse, et pleine de petits poissons glissants et frétillants. Quand Gros-éléphant lança son jet d'eau, il s'éleva seulement de la hauteur d'un buisson d'épines. Il leva sa trompe et essaya encore plus fort. Un petit poisson glissa dans sa gorge, et Gros-éléphant se mit à toussoter et à s'étrangler.

« Petit-éléphant a gagné, » dit Lion.

Petit-éléphant se rengorgea.

Quand Gros-éléphant eut fini de tousser, il dit : « Mais je vais gagner la prochaine épreuve, à coup sûr. Je peux manger bien plus que toi. »

« Très bien ! » fit Lion. « Mangez où vous voulez, comme vous voulez. »

14

Gros-éléphant réfléchit très longtemps, et Petit-éléphant fit semblant de se parler à lui-même : «Je dois manger aussi vite que je peux sans m'arrêter, pas même une minute.»

Gros-éléphant pensa : «Il faut que je fasse exactement la même chose. Je vais manger aussi vite que je peux sans m'arrêter, pas même une minute.»

«Vous êtes prêts?» demanda Lion. «Un, deux, trois. Partez!»

Gros-éléphant brouta et avala, brouta et avala, aussi vite qu'il pouvait, sans s'arrêter. Mais bientôt, il commença à se sentir rassasié.

Petit-éléphant brouta et avala, brouta et avala. Puis il s'arrêta, et courut trois fois autour d'un buisson d'épines. Après quoi il se sentit parfaitement bien.

Gros-éléphant continuait à brouter de l'herbe et à avaler, à brouter et avaler, sans s'arrêter. Mais il commença à se sentir plutôt bizarre à l'intérieur.

Petit-éléphant brouta et avala, brouta et avala. Puis il s'arrêta à nouveau, et fit six fois le tour d'un buisson d'épines. Il se sentit parfaitement bien.

Gros-éléphant continuait à brouter de l'herbe et à avaler, à brouter et à avaler, sans s'arrêter, mais il se sentit si mal à l'intérieur qu'il dut s'asseoir.

Petit-éléphant avait juste fini neuf fois le tour en courant d'un buisson d'épines, et il se sentait en pleine forme. Quand il vit Gros-éléphant, assis par terre, qui se tenait le ventre en gémissant horriblement, Petit-éléphant se rengorgea.

«Oh, j'adore manger, pas toi ?» demanda-t-il. «Je viens seulement de commencer. Je pourrais manger comme ça pendant des heures.»

«Oh, oh, oh !» gémit Gros-éléphant.

« Mais qu'est-ce qui t'arrive ? » demanda Petit-éléphant. « Tu as l'air tout drôle. Tu es vert ! Quand vas-tu te remettre à manger ? »

« Plus une seule feuille ! » gémit Gros-éléphant. « Plus un brin d'herbe, plus une brindille, je ne peux plus rien avaler ! »

« Petit-éléphant a gagné, » fit Lion.

Gros-éléphant se sentait trop mal pour dire quoique ce soit.

Et à partir de ce jour, dès que Gros-éléphant se mettait à fanfaronner, Petit-éléphant souriait et disait : « Si on faisait une course, un concours de jet d'eau ? Ou un concours de nourriture ? »

Alors Gros-éléphant se souvenait. Et bientôt il devint l'un des plus gentils et des plus aimables éléphants à prendre un bain de boue.

LE LION ET SES AMIS

Il était une fois un lion qui vivait dans une grande maison avec un petit chat. « Je suis le Roi des Animaux, » disait-il. « C'est bien le moins que j'aie une belle maison. Et puis je suis fatigué de vivre dans la nature. »

Le petit chat était censé être son domestique, mais il ne faisait rien du tout. Il se mettait sur le meilleur divan et il dormait toute la journée.

Un jour, le lion se dit, « Je suis souvent tout seul. A quoi bon vivre dans une grande maison si je n'ai qu'un petit chat pour compagnon ? Pourquoi les autres animaux devraient-ils vivre dans la jungle profonde et sombre. Pourquoi les cochons vivraient-ils dans la porcherie, les singes dans les arbres et les lapins dans les clapiers ? Nous devrions tous vivre ensemble, entre amis, et nous entraider. »

Aussi il dit au petit chat, « J'ai une idée. Je vais envoyer un message pour demander à tous les autres animaux, y compris les oiseaux, de venir habiter ici. Nous vivrons tous ensemble en paix, et nous serons amis. »

Le petit chat bâilla. Il ne pensait pas que c'était une très bonne idée, mais il ne dit rien.

Alors le lion publia un décret et parce que le lion était le Roi des Animaux, tous les animaux obéirent.

Le tigre se mit en route, transportant sur son dos un lapin, un oiseau et un singe. « Ce n'est pas une bonne idée, » maugréa le tigre. « Tout ça finira mal. »

« Ce n'est pas une bonne idée, » firent les hérissons, qui avaient l'habitude de dormir l'hiver, mais se réveillèrent quand ils entendirent parler du décret du lion.

« Ce n'est pas une bonne idée, » fit le vieux hibou plein de sagesse. « Cependant, » ajouta-t-il, « le roi des Animaux nous a appelés, et nous devons y aller. Ou-ou-ouououou ! »

Le lion travailla sans relâche pour que tout soit prêt pour l'arrivée des animaux. Il n'allait plus jamais être solitaire, maintenant.

Les zèbres furent les premiers à arriver. « En général, nous sommes les derniers, » fit le père zèbre, « parce que "zèbre" commence par un "z". Nous sommes les derniers dans l'alphabet, les derniers dans les livres d'enfants. »

« Mais cette fois-ci, vous êtes les premiers, » dit le lion. « Entrez. »

La girafe, elle, n'arriva pas à entrer dans la maison, malgré tous ses efforts pour courber son long cou. « Oh, ciel, » dit le lion, « Je n'avais pas pensé à ça. Ça ne fait rien - il y a toute la place souhaitée dans la grange, elle a un toit très haut. »

La girafe fit la moue. Elle n'avait pas fait tout ce chemin pour dormir dans une grange, mais le lion était le Roi des Animaux, aussi elle ne dit rien et se contenta de bouder.

Tout le monde se pressa dans la grande salle à manger pour le dîner. Il y eut du poisson, ce qui plut beaucoup aux pingouins, et des noix et des légumes pour ceux qui n'aimaient pas le poisson. Certains mangèrent beaucoup trop - le cochon engloutit la part des singes et ils commencèrent à se disputer quand le lion dit, « Voyons, voyons, il y a à manger pour tout le monde, » avant de retourner à la cuisine pour en chercher encore.

Plus tard ils allèrent tous se coucher, certains sur les divans, d'autres sur les chaises, et d'autres sur les lits. Mais il n'y eut pas de place pour tout le monde, et les tigres se fâchèrent car ils étaient à côté des hippopotames qui ronflaient terriblement.

Le lion découvrit que les léopards s'étaient emparés de sa chambre. Mais il ne dit rien. « Ce sont mes amis, », se dit-il. « Pourquoi n'auraient-ils pas les meilleurs lits ? » Et il alla dormir dans la grange, sur la paille.

Dans la maison, sur le meilleur divan, dormait le petit chat, avec les amis qu'il avait invités.

On approchait de Noël, et le lion avait décidé que ce serait le plus beau Noël qu'on ait jamais vu. Il y aurait de la dinde, du pudding, des décorations, des chapeaux en papier, des tas de jeux et bien sûr des bas remplis de cadeaux pour tout le monde.

Il essaya de demander à ses amis de l'aider. « Voudriez-vous aller cueillir du houx ? » demanda-t-il aux singes. « Non, merci, » répondirent-ils, en se balançant paresseusement entre les chandeliers.

« Peut-être pourriez-vous m'aider à faire le pudding ? » demanda le lion, timidement, aux pandas. « Non, merci, » répondirent-ils poliment, et ils retournèrent mâcher leurs pousses de bambou dans le jardin.

Alors le lion décida qu'il ferait tout lui-même.

Il alla faire les courses, fit le gâteau et le pudding, farcit la dinde et remplit les bas. C'était un gros travail. Ce ne fut pas une mince affaire que de trouver un bas à la taille de la girafe, et ensuite suffisamment de cadeaux pour le remplir.

Quand arriva le jour de Noël, on aurait dit qu'il y avait des animaux partout - dans la maison, dans la cuisine, dans les écuries. Les perroquets jacassaient sans arrêt, de même que les singes. Les autres animaux se plaignirent du bruit. « Voyons, voyons, nous devons tous être amis, » dit le lion, qui lui-même en avait un peu assez.

Le vieux hibou plein de sagesse oublia sa sagesse légendaire et fut de très mauvaise humeur. « Il y a trop d'animaux ici, » déclara-t-il.

Le soir de Noël, le lion était épuisé. Quelle fatigue que d'avoir tant d'invités !

Le lendemain, les bébé-tigres et les lionceaux se disputèrent à propos de leurs cadeaux de Noël ; la maman singe fit des remontrances au cochon sur sa façon de se tenir à table. Le zèbre fut vexé par une remarque que l'antilope lui avait faite ; et la girafe bouda à nouveau.

« J'en ai assez, » fit le tigre. Il était second derrière le Roi des Animaux et il se trouvait en général aussi bien que lui. Alors il loua un bateau et dit : « Moi, je m'en vais - quelqu'un veut-il venir avec moi ? »

Ils se pressèrent tous dans le bateau, les singes se balançant dans les cordages. Puis ils firent voile, laissant le lion dans sa grande maison. Le bateau fit de nombreuses escales, pour que les animaux de la ferme retournent à la ferme, les animaux de la jungle dans la jungle et les animaux des bois dans les bois.

De retour dans sa maison, le lion regarda autour de lui. Tout était en l'air. Les animaux avaient brisé la vaisselle d'apparat. Les plus belles chaises avaient été mises en pièces par le derrière de l'éléphant. Les tapis avaient été saccagés par les sabots des zèbres et des poneys.

Il poussa un soupir. «Les lions devraient vivre au grand air, pas dans des maisons,» se dit-il, en se glissant dehors, à nouveau dans la nature, et laissant tout derrière lui. Il fouetta l'air de sa queue en partant et se fredonna une petite chanson. Il se sentait déjà plus gai. C'était bon d'être à nouveau libre.

Derrière lui, dans la belle maison, le petit chat reprit son somme.

PECARI L'A DIT

Singe était perché dans un cocotier. Et sous le cocotier, il y avait
Pécari.

« Pécari, est-ce qu'il va pleuvoir aujourd'hui ? » demanda Singe.

« Je voudrais aller dans la jungle, planter une noix de coco dans la
clairière. Mais je ne peux pas planter ma noix de coco s'il n'y a pas un
peu de pluie pour l'arroser. »

« De la pluie ? » dit Pécari. « Ça se pourrait. »

Singe ramassa une noix de coco, et courut dans la jungle en
chantant !

« Si Pécari dit ça se pourrait
Ferme la porte et tiens-toi prêt. »

Quand Singe arriva dans la prairie, il rencontra une créature avec des pattes courtes et noires, une queue noire ébouriffée, et un gros corps noir.

« Salut, Saucisse, » fit Singe.

La créature dit : « Je suis Olingo, je ne suis pas Saucisse. Où vas-tu avec cette noix de coco ? »

« Je vais la planter, » répondit Singe.

« C'est vraiment du gaspillage ; si on la mangeait, plutôt, » dit Olingo.

Singe regarda le ciel. Il n'y avait qu'un seul petit nuage déchiqueté.

« Très bien, » fit-il. « On va la partager. »

« Mais d'abord il faut la faire cuire, » fit Olingo. « Va chercher du bois, pendant ce temps je garderai la noix de coco. »

Singe posa la noix de coco, et s'en alla chercher du bois. Quand il revint, Olingo avait l'air tout content, et Olingo était plein de noix de coco. Derrière lui, il y avait deux coques vides.

« Tu as mangé ma noix de coco, » cria Singe.

Il lança les coques vides en direction d'Olingo.

« Espèce de Saucisse ! » lui cria-t-il. Et il courut dans la jungle retrouver son arbre.

« Pécari, est-ce que tu *sais* s'il va pleuvoir ? » demanda-t-il.

« Si je sais ? » fit Pécari. « Oui je sais. Je le sens rien qu'à l'odeur de l'air. Ça prouve que c'est vrai. »

Singe ramassa une autre noix de coco, et s'en alla dans la jungle en chantant.

« Si Pécari dit que c'est vrai
Ferme la porte et mets le loquet. »

Quand Singe arriva au bord du marécage, il rencontra une créature sans queue.

Ses pattes de derrière étaient courtes, et ses pattes de devant longue. Sa fourrure marron était hirsute, et il avait des dents pointues et recourbées.

« Salut, Boudin, » fit Singe.

« Je suis Capybara, » répondit la créature. « Où vas-tu avec cette noix de coco ? »

« Je vais la planter, » lui dit Singe.

« Je trouve ça stupide, » fit Capybara. « Les noix de coco, c'est bon à manger. »

Singe regarda en l'air. Il y avait deux nuages noirs. « On va la partager, » dit-il.

Capybara regarda la noix de coco. Puis il regarda les mains de Singe.

« Tu sais qu'il faut te laver les mains avant de manger, » dit-il. « Elles sont pleines de boue. Va au marécage pour te les laver.

Je garderai la noix de coco pendant ce temps-là. »

Singe alla se laver les mains. Quand il revint, Capybara avait l'air tout content, et Capybara se frottait l'estomac. Dans la boue, à côté de lui, il y avait deux coques vides.

« Toi *aussi* tu avais les pattes pleines de boue, » lui cria Singe. Il lança les coques en direction de Capybara.

« Boudin, va ! ». Et il courut dans la jungle retrouver son arbre.

« Pécari, est-ce qu'il va bientôt pleuvoir ? » demanda Singe.

« Bientôt ? » répondit Pécari. « Oui, c'est sûr et certain. »

Singe ramassa une troisième noix de coco, et courut dans la jungle en chantant :

« Si Pécari dit sûr et certain
Ferme la porte et boucle-la bien. »

Quand Singe atteignit la rive du fleuve, il rencontra une créature avec une fourrure grise et lisse, une longue queue en panache avec des anneaux, et des pattes comme des battoirs.

« Salut, Pattes-Plates, » fit Singe.

« Je suis Raton-Laveur, mangeur de crabes, » fit la créature. « Où vas-tu avec cette noix de coco ? »

« Je vais la planter, » lui dit Singe.

« La planter ? » fit Raton-Laveur. « C'est ridicule ! Mangeons-la plutôt. »

Singe regarda les épais nuages noirs, mais il vit qu'il y avait encore un petit coin de ciel bleu.

« D'accord, partageons-la. Une moitié chacun ! » dit-il. « Je n'irai *pas* ramasser du bois. Je n'irai *pas* me laver les mains. Je resterai ici, sur la rive du fleuve. »

« Bien sûr, » dit Raton-Laveur. « Mais d'abord il faut partager la noix de coco en deux. »

Raton-Laveur souleva sa grosse patte plate et tapa sur la noix de coco. Tap-tap-tap.

« Pourquoi tapes-tu ? » demanda Singe.

« Je casse la coque, » dit Raton-Laveur. « Je mange souvent des crabes, et ils ont une carapace très dure. Alors je fais tap-tap-tap dessus jusqu'à ce que le crabe soit fatigué. Comme ça, je peux facilement casser sa carapace. »

« Stupide Raton-Laveur ! » fit Singe en riant. « Tu ne peux pas fatiguer une coque de noix de coco. »

« Dans ce cas, » fit Raton Laveur, « Ça ne sert à rien de taper. Il faut grimper au sommet d'un arbre et laisser tomber la noix de coco sur une pierre. »

« Je n'irai pas dans un arbre, » dit Singe. « Je resterai où je suis, sur la rive du fleuve. »

« C'est comme tu voudras. » fit Raton-Laveur. Et il prit la noix de coco, grimpa à un arbre et s'assit sur une branche.

Singe s'assit sur la rive du fleuve et attendit.

Il attendit sur la rive pendant très longtemps.

A la fin, il cria : « Dépêche-toi, Raton-Laveur. Lance cette noix de coco sur la pierre. »

Deux coques vides tombèrent de l'arbre. Quand Singe regarda dans l'arbre, Raton-Laveur avait l'air tout content, et Raton-Laveur était rassasié.

« Espèce de Pattes-Plates Glouton, » lui cria Singe. Et il courut à travers la jungle, retrouver son arbre.

« Pécari, tu es sûr qu'il va pleuvoir ? » demanda-t-il.
« Sûr ? » fit Pécari. « Je suis affirmatif. »

Singe ramassa une quatrième noix de coco et il courut dans la jungle en chantant :

« Si Pécari est affirmatif
Ferme la porte et... »

Singe s'arrêta. Il n'arrivait pas à trouver une rime en if. Il courut dans la jungle, en chantant :

« Si Pécari est affirmatif, affirmatif
Si Pécari est affirmatif, mirfatif, tirfamif... »

Il regarda autour de lui pour trouver de l'aide. Mais tous les animaux étaient allés se mettre à l'abri en prévision de la pluie. Singe atteignit la clairière. Le ciel était plein de gros nuages noirs, mais Singe n'y fit pas attention. Il ne planta pas sa noix de coco. La seule chose qui lui importait, c'était de trouver une rime. Alors il essaya encore :

« Si Pécari est affirmatif, affirmatif

Si Pécari est affirmatif, paratif, tarapif… »

Des gouttes de pluie lui tombèrent sur le nez. Ploc !

« Bon sang, je vais me mouiller, » dit Singe.

Et il courut à travers la jungle retrouver son arbre. Sous l'arbre, Pécari était toujours là. Singe monta sur une branche là où la pluie ne pouvait pas l'atteindre. Il ouvrit la noix de coco en deux, et mangea le blanc à l'intérieur. Il ne resta bientôt plus que deux coques vides.

Il en lança une par terre, qui rebondit sur la tête de Pécari et tomba dans l'herbe.

« C'est un chapeau, » cria Singe. « Je savais qu'il allait pleuvoir, alors j'ai fait deux chapeaux. Et voilà le tien. »

Pécari et Singe mirent leurs chapeaux. Pécari fredonna l'air pendant que Singe chantait :

« Pécari est affirmatif et il a un chapeau,

Maintenant ça rime et c'est bien plus beau. »

Singe était tout heureux. Il sourit à Pécari. Pécari lui rendit son sourire, en reprenant le refrain.

L'ARBRE PACANE

Par un été torride, dans les chaudes forêts d'Afrique, il y eut une grande famine. Les animaux avaient chassé absolument partout, et avaient mangé jusqu'à la dernière brindille ou racine. Ils étaient vraiment affamés.

Soudain ils se trouvèrent devant un arbre superbe, couvert des fruits les plus tentants et juteux qu'on puisse imaginer.

Mais bien sûr, ils ne savaient pas s'ils étaient comestibles ou non, car le nom de l'arbre leur était complètement inconnu. Et il leur fallait absolument savoir son nom. Ce qu'ils savaient par contre, c'est que l'arbre appartenait à une vieille dame du nom de Jemma. Alors ils décidèrent d'envoyer le lièvre, leur coureur le plus rapide, lui demander le nom de l'arbre.

Le lièvre partit à toute vitesse, et il trouva la vieille Jemma devant sa hutte.

« Oh, Madame Jemma, » dit-il. « Nous autres les animaux, nous mourons de faim. Si vous pouviez nous dire le nom de votre arbre merveilleux, vous nous sauveriez d'une mort certaine. »

« Mais bien volontiers, » répondit Jemma. « Ses fruits sont parfaitement comestibles. Son nom est PACANÉ. »

« Oh, » fit le lièvre, « c'est un nom très compliqué. Le temps que j'arrive, je l'aurai oublié. »

« Mais non, en fait c'est très facile, » dit Jemma. « Tu n'as qu'à penser à "canapé" et le dire un peu de travers, comme ça :

Canapé - PACANÉ. »

« Oh, merci beaucoup, » dit le lièvre, et il détala.

En courant, il répéta, "canapé, pacané, nécapa," et il mélangea tout. Ce qui fait que quand il arriva vers ses amis, tout ce qu'il put dire fut, « Eh bien, Jemma m'a bien dit le nom, mais je n'arrive pas à me rappeler si c'est pécana, capéné, ou nécapa. Je sais que ça a un rapport avec canapé. »

« Oh là là, » soupirèrent-ils tous. « On aurait mieux fait d'envoyer quelqu'un avec une meilleure mémoire. »

« Je vais y aller, » dit la chèvre. « Je n'oublie jamais rien. » Et elle partit directement pour la hutte de Jemma, en suant, et soufflant tout le long du chemin.

« Je suis désolée de vous ennuyer encore, Madame Jemma, » haleta-t-elle, « mais ce lièvre stupide n'a pas pu se rappeler le nom de l'arbre. Voudriez-vous me le dire encore une fois ? »

« Bien volontiers, » répondit la vieille femme. « C'est PACANÉ. Tu n'as qu'à penser à "canapé" et le dire un peu de travers :

canapé - PACANÉ. »

« Parfait, » dit la chèvre, « et merci encore mille fois. »

La chèvre repartit au galop, en soulevant des nuages de poussière, et tout le long elle répéta :
"Canapé, pacané, népaca, canapé, péca.." jusqu'à ce qu'elle arrive.

« Je sais le nom de cet arbre, » dit-elle. « C'est nacapé,... c.. ca...panéca.., né...n...écana... oh, ciel...Je n'y arrive pas. »

« Bon, eh bien, qui pouvons-nous envoyer cette fois ? » demandèrent-ils tous. Ils ne voulaient pas ennuyer encore la vieille Jemma.

« Je suis parfaitement d'accord pour y aller, » pépia un jeune moineau. « Je serai de retour en un clin d'œil, » et après un frétillement de queue, il partit comme une flèche.

« Bien le bonjour, honorable Jemma, » dit-il. « Pourrais-je *encore une fois* vous demander le nom de cet arbre. Le lièvre et la chèvre ne sont pas arrivés à s'en souvenir. »

« Mais je le ferai volontiers, » dit la vieille Jemma patiemment.

« C'est PACANÉ, PA-CA-NÉ. C'est un peu difficile, mais il n'y a qu'à penser à "canapé" et le dire un peu de travers :

canapé - PACANÉ. »

« Je vous suis très reconnaissant, Madame, » dit le moineau, et il s'envola en se répétant : "canapé, pénaca, nacapé, épana," jusqu'à ce qu'il arrive vers ses collègues affamés.

« Dis-le nous, moineau, » crièrent-ils tous.

« Oui, » gazouilla le moineau. « Finalement, c'est "nacapé", n...né...pénaca...p...pa...épana... Oh non ! J'abandonne. Je suis vraiment désolé. »

Cette fois-ci, les animaux furent vraiment désespérés.

Imaginez-les, assis autour de cet arbre magnifique, incapables de cueillir ces fruits si appétissants !

Soudain, la tortue parla. « Moi j'irai, » dit-elle. « Je sais que cela prendra un peu de temps, mais je n'oublierai pas le nom une fois que je l'aurai entendu. Ma famille a la réputation d'avoir une mémoire infaillible. »

« Non, » rouspétèrent-ils. « Tu es trop lente. Nous serons tous morts avant que tu ne sois revenue. »

« Et si je prenais la tortue sur mon dos ? » demanda le zèbre. « Je suis incapable de me souvenir de quoique ce soit, mais pour la vitesse, je ne crains personne. Je la ramènerai en un rien de temps. »

Ils pensèrent tous que c'était une idée géniale, et le zèbre démarra, avec la tortue qui ballottait sur son dos.

« Bonjour, Madame Jemma, » fit la tortue. « Je suis désolée de n'avoir pas le temps de mettre le pied à terre. Mais si nous n'avons pas le nom de cet arbre, la plupart d'entre nous seront morts ce soir. C'est pourquoi je suis venue sur le dos du zèbre. Il est un peu plus rapide que moi, vous savez. »

« Oui, je n'ai pas de peine à le croire, » sourit gentiment la vieille Jemma.

« Eh bien, c'est PACANÉ. Pense à "canapé" et dis-le simplement un peu de travers, comme ça : canapé - PA-CA-NÉ. »

« Laissez-moi le redire trois fois avant que je parte, » dit la tortue, « simplement pour vérifier si c'est juste. » Et elle répéta très lentement, très posément et distinctement, en hochant la tête à chaque syllabe :

« PA-CA-NÉ PA-CA-NÉ PA-CA-NÉ. »

« Bravo ! » fit Jemma, « maintenant tu ne l'oublieras pas. »

Et elle avait raison.

Le zèbre repartit comme l'éclair et la tortue ne douta jamais qu'elle avait enfin le nom de l'arbre.

« C'est PA-CA-NÉ, » annonça-t-elle à ses amis à demi-morts de faim.

« Pacané, pacané, pacané, » crièrent-ils tous. « C'est l'arbre Pacané et il est comestible. » Ils cueillirent tous les merveilleux fruits.

Vous n'imaginez pas comme ils étaient délicieux.

Et pour lui montrer leur gratitude, ils nommèrent la tortue Conseillère en Chef pour les Matières Importantes (après son nom on ajouta C.C.I.M). Et à ce jour, elle est toujours Conseillère en Chef.

UN TRAVAIL DE SINGES

« Casquettes ! Demandez mes belles casquettes ! » criait le colporteur en arpentant les rues.

Mais où étaient ses casquettes ?

Pas sur une charrette, pas dans une carriole, pas dans un sac à dos, pas même sur un plateau attaché avec des bretelles. Ce colporteur portait ses casquettes, toutes ses casquettes, empilées au-dessus de sa propre casquette plate - sur sa tête.

D'abord venaient les casquettes bleues, puis au-dessus les casquettes jaunes, puis les orangés, puis les violettes, et tout en haut, se trouvaient les rouges. Le colporteur, bien sûr, devait faire très attention et marcher bien droit, de façon à ce que toute la pile ne s'écroule pas.

D'habitude, le colporteur faisait de bonnes affaires, car les gens trouvaient drôle sa façon de marcher, et la manière adroite avec laquelle il attrapait la couleur souhaitée par le client sans même regarder en l'air ou déranger la pile. Il utilisait pour cela un petit bâton spécial, au bout aplati, et, tandis que de la main gauche il tenait toute la pile en équilibre, de la main droite il sortait prestement la couleur demandée. Son bras droit semblait capable de s'étirer incroyablement vers le haut !

Cependant un jour, sans qu'on sache pourquoi, personne ne vint acheter de casquettes. Le colporteur arpenta les rues de long en large, et de haut en bas, en criant, « Casquettes, demandez mes belles casquettes ! » du plus fort qu'il pouvait - aucun client ne se montrait.

Finalement le colporteur se dit, « Allons, il y a de bons et de mauvais jours. De toutes façons, cela va me donner l'occasion de me reposer et de faire un petit somme au grand air. » Et il se dirigea vers un bois voisin.

Il s'assit avec beaucoup de précaution, le dos appuyé contre le tronc d'un grand chêne. Quelques secondes plus tard, croyez-le ou non, il dormait à poings fermés dans le chaud soleil, les casquettes toujours empilées sur sa tête.

Combien de temps son somme dura-t-il, il ne le sut pas, mais quand il se réveilla il mit aussitôt la main au-dessus de sa tête pour sentir ses casquettes. Imaginez-vous qu'il n'avait plus que sa casquette plate sur la tête ! Quelle surprise !

Il regarda à sa gauche. Pas de casquettes.

Il regarda à sa droite. Pas de casquettes.

Il regarda derrière. Pas de casquettes.

Et, bien sûr, il regarda devant. Encore pas de casquettes.

Puis il se leva et fit plusieurs fois le tour de l'arbre mais - toujours pas de casquettes.

Alors il regarda en l'air, dans les branches au-dessus de lui et - je vous donne en mille ce qu'il vit : des singes, des singes, des singes et encore des singes, qui jacassaient à qui mieux mieux et riaient à gorge déployée. ET CHAQUE SINGE AVAIT UNE CASQUETTE SUR LA TETE.

Il y en avait avec une casquette rouge,

d'autres avec une casquette orange,

d'autres avec une bleue,

et d'autres avec une violette.

« Eh, les singes ! Rendez-moi mes casquettes ! » cria le
colporteur, en leur montrant le poing. Mais les singes ne firent que
lui montrer leur poing, à leur tour, en gloussant, « Tsiii, tsiii, tsiii »
et « Hiii, hiii, hiii ! »

« Bande de vauriens ! » cria-t-il. « Rendez-moi immédiatement
mes casquettes ! » Mais les singes continuèrent leur « tsiii, tsiii,
tsiii » et « hiii, hiii, hiii » de plus belle. Ils semblaient s'amuser
terriblement. Le colporteur s'égosilla et leur montra les deux
poings, mais les singes, en retour, lui montrèrent leurs deux poings,
et continuèrent avec leurs « tsiii, tsiii, tsiii » et leurs « hiii, hiii, hiii ».

Le colporteur se mit alors dans un état de colère indescriptible. Il frappa du pied et hurla, «Vous allez me rendre mes casquettes ou bien...!»

Mais tout ce que firent les singes, ce fut de frapper du pied eux aussi.

A la fin des fins, à bout de patience, le colporteur enleva sa casquette et la lança de toutes ses forces par terre. Il allait partir quand tout à coup les singes FIRENT EXACTEMENT CE QU'IL AVAIT FAIT. Chacun enleva la casquette qu'il portait, et la lança par terre. Et voilà toutes les casquettes - les jaunes, les orangés, les bleues, les violettes et les rouges - qui descendent à terre. Les singes avaient singé le colporteur!

Le colporteur ramassa ses casquettes, une par une, et les remit en pile sur sa casquette plate comme auparavant - les bleues, les jaunes, les orangés, les violettes et les rouges. Puis il retourna à la ville, et arpenta les rues en criant avec entrain, «Casquettes! Demandez mes belles casquettes!» et cette fois-ci, il fut plus chanceux. Il les vendit toutes.

L'HISTOIRE DES TROIS PETITS COCHONS

Il était une fois trois petits cochons qui durent partir de chez leur maman, car elle n'avait plus de quoi les nourrir.

Le premier qui partit rencontra un homme qui transportait un ballot de paille, et il lui dit, « S'il vous plaît, Monsieur, pourrais-je avoir cette paille pour construire ma maison ? » ; l'homme la lui donna et le petit Cochon construisit sa maison. Le Loup survint, et il frappa à la porte en disant, « Petit Cochon, Petit Cochon, laisse-moi entrer dans ta maison. »

Et le petit Cochon répondit : « Non, non, par mon petit menton tout rond. »

Alors je vais faire Ouf, et Pouf, et je détruirai ta maison ! » fit le Loup. Et il fit Ouf et Pouf, et la maison s'envola, et le loup mangea le petit Cochon.

48

Le second petit Cochon rencontra un homme qui transportait un fagot de bois, et il lui dit, « S'il vous plaît, Monsieur, donnez-moi vos fagots pour construire ma maison » ; L'homme les lui donna et le petit Cochon construisit sa maison.

Le loup survint alors et il dit, « Petit Cochon, Petit Cochon, laisse-moi entrer dans ta maison. »

Et le petit Cochon répondit : « Non, non, par mon petit menton tout rond. »

« Alors je vais faire Ouf, et Pouf, et je détruirai ta maison ! » fit le Loup. Et il fit Ouf et Pouf et encore Ouf et Pouf et la maison s'envola, et le loup mangea le second petit Cochon.

Le troisième petit Cochon rencontra un homme qui portait un tas de briques et il dit, « S'il vous plaît, Monsieur, donnez-moi vos briques pour construire ma maison » ; l'homme les lui donna et le petit Cochon construisit sa maison.

Le loup survint alors et il dit, « Petit Cochon, Petit Cochon, laisse-moi entrer dans ta maison. »

Et le petit Cochon répondit : « Non, non, par mon petit menton tout rond. »

«Alors je vais faire Ouf, et Pouf, et je détruirai ta maison!» fit le Loup. Et il fit Ouf et Pouf, et encore Ouf et Pouf et encore Ouf et Pouf; mais la maison ne s'envola pas. Quand il vit qu'il ne pouvait pas, avec ses Oufs et ses Poufs démolir la maison, il dit, «Petit Cochon, je connais un joli champ de navets.»

«Où ça?» fit le petit Cochon.

«Oh, dans le potager de Mr Martin; et demain matin, si tu te tiens prêt, je viendrai te chercher et nous irons en ramasser ensemble.»

«Très bien,» fit le Petit Cochon. Je serai prêt. A quelle heure?»

«Oh, à six heures.»

Le petit Cochon se leva à cinq heures, ramassa les navets, et à six heures il était de retour. Quand le Loup arriva et dit «Es-tu prêt, petit Cochon?»

«Prêt!» répondit le petit Cochon, «j'y suis allé et je suis revenu, et j'en ai une pleine marmite pour mon souper.»

Le Loup fut très en colère mais il pensa qu'il aurait le petit Cochon d'une façon ou d'une autre ; aussi il dit,

« Petit Cochon, je sais où il y a un beau pommier. »

« Où ça ? »

« Au Jardin Fleuri. » répondit le Loup ; « et si tu veux bien ne pas me jouer un tour, je viendrai te chercher demain matin à cinq heures pour ramasser des pommes.

Mais le petit Cochon se réveilla à quatre heures le lendemain matin, et il se dépêcha d'aller cueillir des pommes, espérant être de retour avant que le Loup arrive ; mais c'était loin, et il lui fallait grimper à l'arbre, aussi, juste comme il descendait, il vit le Loup qui arrivait ce qui, comme vous pouvez le supposer, l'effraya beaucoup. Quand le Loup fut là, il dit, « Comment, petit Cochon, tu es là avant moi ? Est-ce qu'elles sont bonnes au moins, ces pommes ? »

« Oui, très bonnes, » répondit le petit Cochon ; « Je vais t'en lancer une. » Et il la lança très loin ; pendant que le Loup allait la chercher, il sauta à terre et rentra en courant chez lui.

Le lendemain, le Loup revint, et dit au petit Cochon, « Petit Cochon, il y a une Foire à la ville cet après-midi : veux-tu y aller ? »

« Oh, oui, » dit le petit Cochon, « Bien sûr ; à quelle heure ? »

« A trois heures, » dit le Loup.

Alors le petit Cochon partit en avance comme d'habitude, il alla à la Foire, acheta une baratte à beurre, et il était sur le chemin du retour quand il vit le Loup qui arrivait. Il ne sut pas quoi faire. Alors il entra à l'intérieur de la baratte. La baratte se mit à rouler, rouler en bas de la colline, avec le petit Cochon à l'intérieur, ce qui effraya tant le Loup qu'il rentra chez lui sans même aller à la Foire.

Il retourna à la maison du petit Cochon, et lui raconta la frayeur

55

qu'il avait eue quand une grosse chose ronde avait dégringolé la colline juste devant lui.

Alors le petit Cochon dit, « Ah ! Je t'ai fait peur, n'est-ce pas ? J'ai été à la Foire, j'ai acheté une baratte, et quand je t'ai vu, je suis rentré à l'intérieur, et j'ai roulé en bas de la colline. »

Le loup fut vraiment très en colère, et il déclara qu'il *allait manger* le petit Cochon et qu'il allait passer par la cheminée.

Quand le petit Cochon vit cela, il mit une marmite pleine d'eau

dans la cheminée, alluma un grand feu, et au moment où le Loup descendait, il ôta le couvercle de la marmite, et le Loup tomba dedans. Le petit Cochon remit aussitôt le couvercle, fit bouillir le loup, le mangea pour son souper, et il vécut très heureux désormais.

57

INTELLIGENT MAITRE RENARD

Maître Renard se prenait pour quelqu'un de très intelligent. Il vivait avec sa femme et ses enfants près de la forêt. Les cinq petits renardeaux étaient aussi beaux que leurs parents, mais ils étaient toujours affamés. Maître Renard et Dame Renard devaient chercher de quoi les nourrir.

Une nuit qu'ils revenaient de la chasse, Maître Renard dit : « Tu sais, nos enfants sont si beaux et si intelligents, je crois qu'ils tiennent de moi. »

« Ne parle pas si fort, tu vas attirer le Tigre, » répondit sa femme.

« Eh bien, si le Tigre m'entend, je suis bien trop intelligent pour le laisser nous attraper. Toute seule, ma chère, tu ne t'en tirerais peut-être pas, mais mon intelligence nous servira à tous deux. »

A ces mots, ils entendirent un rugissement dans l'obscurité.

« Eh bien, Maître Renard, me voici, tout prêt à vous dévorer tous les deux pour mon souper. A moins, bien entendu, que tu sois aussi intelligent que tu le dis et que tu m'en empêches » Et un énorme tigre jaune et noir sortit des buissons.

Maître Renard resta muet de surprise et d'effroi. Il ne savait pas quoi faire, car en fait il n'était pas du tout intelligent. Il *pensait* simplement qu'il était intelligent.

Alors Dame Renard dit tranquillement.

« Comme nous avons de la chance de vous avoir rencontré, Oncle Tigre. Vous êtes si avisé que je suis sûre que vous pourrez répondre à une question qui nous préoccupe grandement. »

Tigre était un grand vaniteux, comme Maître Renard. Il aimait bien qu'on lui dise qu'il était avisé, et d'être appelé « Oncle » lui donnait de l'importance.

« Oh oui, je suis sûr que je peux vous aider. Dépêchez-vous de poser votre question, que je puisse y répondre avant de vous manger. »

« Eh bien, mon Oncle, » poursuivit Dame Renard, « mon mari et moi avons cinq jolis renardeaux. Mais nous ne savons pas lesquels ressemblent plus à mon mari, et lesquels me ressemblent le plus. Vous êtes si avisé que vous pourriez le dire au premier coup d'œil. Voudriez-vous nous faire ce grand honneur ? »

Tigre fut très satisfait. Il pensa en lui-même :

« En plus de ces deux stupides renards, je vais avoir cinq renardeaux dodus pour mon souper. » Il dit alors :

« Conduisez-moi à votre logis. Montrez-moi vos petits, et je répondrai à votre question. »

Et ils partirent tous les trois. Quand ils arrivèrent au trou qui

conduisait au repaire des renards, Dame Renard dit :

« Mon cher époux, descends avertir les enfants de l'honneur que leur fait le très avisé Oncle Tigre. »

« Et dépêche-toi, » grogna le Tigre.

Maître Renard se dépêcha en effet. Il fut en un éclair au fond du trou. Dame Renard et Tigre attendirent ensemble près du trou. Mais personne ne sortit, ni Maître Renard, ni les renardeaux.

Tigre en eut assez d'attendre son souper.

« Où est ton mari, où sont les renardeaux ? » demanda-t-il.

« Mon Oncle, » répondit Dame Renard, « si vous voulez bien m'excuser un instant, je vais aller voir. »

« Dis-leur de se dépêcher ! »

« Oui, mon Oncle. » Et Dame Renard bondit dans son trou. Tigre s'assit et attendit. Il avait faim. Il était fatigué. Et par-dessus tout, il était affamé.

Tout à coup, il vit les grands yeux malicieux de Dame Renard qui le regardaient par le trou.

« Oh, mon Oncle, » lui cria-t-elle, « en définitive, il n'y a pas besoin de vous déranger. Maître Renard a résolu le problème ! Il dit que ses cinq renardeaux ressemblent tous sans exception à leur jolie et intelligente maman. »

Le tigre rugit et essaya d'attraper Dame Renard avec ses griffes. Mais elle fut plus rapide que lui. Elle disparut en un éclair. Tigre dut se coucher sans souper.

Maître Renard cessa de se vanter de son intelligence. Il savait maintenant que c'était sa femme la plus rusée de la famille !

LE LIÈVRE ET LA TORTUE

Quand la Tortue était petite, sa mère lui disait, « Tu ne pourras jamais aller très vite. Dans notre famille, nous sommes lentes, mais nous arrivons toujours. N'essaie pas de courir. Souviens-toi, « lentement mais sûrement » voilà notre secret. » La Tortue se souvint de ces paroles.

Elle grandit, puis un jour qu'elle marchait tranquillement dans un champ, s'occupant de ses affaires, le Lièvre arriva, et voulant s'amuser un pcu, il courut autour de la Tortue en cercles rapides, juste pour l'embêter. Le Lièvre était très satisfait de lui-même car tout le monde savait que c'était un des plus rapides parmi les animaux. Mais la Tortue fit comme si de rien n'était, aussi le Lièvre lui fit face et se mit à se moquer.

« Tu ne peux vraiment pas aller plus vite que *ça* ? » lui demanda-t-il.

« A cette allure tu n'arriveras jamais nulle part ! Tu devrais prendre modèle sur *moi*. »

La tortue leva lentement la tête et dit :

« Je ne veux aller nulle part, merci. Je n'ai aucun besoin de me presser. Tu vois, ma carapace épaisse me protège contre mes ennemis. »

« Ce que ta vie doit être *monotone,* » reprit le Lièvre. « Regarde, cela te prend une demi-heure pour traverser un pré, tandis que moi, cela ne me prend qu'une demi-minute, pour être hors de vue. Et en plus, tu as l'air idiote, tu sais ! Tu devrais avoir honte. »

La Tortue, à ce moment-là, fut plutôt contrariée. Ce Lièvre la provoquait.

« Ecoute, », fit la Tortue, « si tu veux qu'on fasse la course, je suis d'accord ; et tu n'auras pas besoin de me laisser de l'avance. »

Le Lièvre se mit à rire aux larmes, ses flancs étaient tellement secoués de hoquets qu'il en tomba à la renverse. La Tortue attendit simplement qu'il ait fini, puis elle dit :

« Eh bien, qu'est ce qu'il y a ? Je ne plaisante pas. »

Plusieurs autres animaux s'étaient rassemblés autour d'eux et ils dirent tous : « Allez, le Lièvre. C'est un défi. Il va falloir que tu fasses la course avec elle. »

« D'accord, » fit le Lièvre, « si tu tiens à te rendre ridicule. Où allons-nous courir ? »

La tortue mit ses pattes en visière au-dessus de ses yeux et dit : « Tu vois ce vieux moulin à vent au sommet de la colline là-bas ?

Nous allons courir jusque-là. On partira de cette souche d'arbre, ici. Allons-y, et que le meilleur gagne ! »

Aussitôt qu'ils furent alignés près de la souche d'arbre, Chanteclair le coq cria « Un - deux - trois - Partez ! » et la Tortue commença à ramper en direction du lointain moulin. Les autres animaux partirent en avant pour assister à l'arrivée.

Le lièvre resta près de la souche d'arbre, à regarder la Tortue qui se dandinait en traversant le pré. Il faisait chaud, et juste à côté de la souche, il y avait un petit coin ombragé où il s'assit et attendit. Il estimait que cela lui prendrait à peu près deux minutes et demie pour atteindre le moulin à vent, même sans forcer, aussi il n'y avait pas urgence, pas urgence du tout. Pour l'heure, il s'assoupit. Deux ou trois minutes passèrent, et le Lièvre ouvrit paresseusement un œil. La Tortue avait à peine traversé le premier pré. « Lentement mais sûrement, » se répétait-elle. « Lentement mais sûrement, voilà notre secret. »

« C'est ce que ma mère disait. » Et elle continuait son chemin vers le moulin.

« A ce train-là, » se dit le Lièvre tout ensommeillé, « cela va lui prendre environ deux heures pour arriver - si elle n'est pas morte d'ici là. »

Il referma les yeux et retomba dans un profond sommeil.

Un peu plus tard, la Tortue avait traversé le premier pré et franchissait lentement le second.

« Lentement mais sûrement, » se murmurait-elle.

Le soleil commençait à décliner lorsqu'enfin le Lièvre se réveilla, frissonnant.

« Où suis-je ? » se dit-il. « Que s'est-il passé ? Oh oui, je me souviens. »

Il se dressa et regarda en direction du moulin à vent. Mais où était la Tortue ? Il ne la voyait nulle part.

Le Lièvre grimpa sur la souche d'arbre et écarquilla les yeux

pour voir dans le lointain. Là, à mi-chemin du tout dernier pré avant le moulin à vent, il y avait un minuscule point noir. La Tortue !

« Malheur ! » fit le Lièvre. « J'ai trop dormi. Je ferais mieux de me remuer. »

Il bondit de la souche et fila à travers le premier pré, puis le second, puis le troisième. C'était beaucoup plus loin en réalité qu'il ne l'avait pensé.

Au moulin, les animaux attendaient pour voir l'arrivée. Enfin la Tortue arriva, hors d'haleine et chancelante sur ses petites pattes.

« Allez, la Tortue ! » l'encourageaient-ils.

Puis le Lièvre apparut à l'autre bout du dernier pré, filant comme le vent. Comme il courait ! Même le Cerf, poursuivi par les chasseur, n'aurait pu aller plus vite. Même l'Hirondelle aurait pu difficilement aller plus vite, à travers le ciel bleu.

« Lentement mais sûrement, » se disait la Tortue, mais personne ne pouvait l'entendre car il ne lui restait que très peu de souffle pour continuer à avancer.

« Allez, la Tortue ! » criaient la plupart des animaux. « Allez, le Lièvre, elle va te battre ! » criaient les autres.

Le Lièvre accéléra encore son allure et courut plus vite que jamais auparavant. Mais cela ne servit à rien. Il avait laissé trop d'avance à la Tortue et il était encore à vingt mètres derrière quand la Tortue franchit le dernier centimètre et s'abattit contre le moulin. Elle avait gagné la course !

Tous les animaux applaudirent, et à partir de ce jour le Lièvre ne se moqua plus jamais de la Tortue.

COMMENT L'OURS BLANC
DEVINT L'OURS POLAIRE

Quand les animaux furent sur terre depuis quelque temps, ils se lassèrent d'admirer les arbres, les fleurs et le soleil. Ils se mirent à s'admirer eux-mêmes. Chaque animal désirait être admiré, et passait la plus grande partie de son temps à se faire beau. Bientôt ils organisèrent des concours de beauté.

Parfois c'était Tigre qui gagnait, parfois Aigle, et parfois Coccinelle. Chacun essayait très fort d'être le plus beau.

Mais il y avait un animal qui gagnait presque toujours. C'était Ours Blanc.

Ours Blanc était donc blanc. Pas tout à fait d'un blanc de neige, mais bien plus blanc que toutes les autres créatures. Tout le monde l'admirait. Et en secret, tous l'enviaient. Ils auraient souhaité qu'il ne soit pas si beau, et en même temps, ils ne pouvaient pas faire autrement que de lui donner le prix.

« Ours Blanc, » disaient-ils, « avec ta fourrure blanche, tu es presque trop beau. »

Tout cela monta à la tête d'Ours Blanc. Il devint vaniteux. Il passait son temps à nettoyer et à lisser sa fourrure, pour la rendre encore plus blanche. Et bientôt, il gagna le prix à chaque fois. Les seules fois où un autre animal avait la possibilité de gagner, c'était quand il pleuvait. Ces jours-là, Ours Blanc disait :

« Je ne sortirai pas sous la pluie. Les autres animaux seront pleins de boue, et ma fourrure blanche sera tout éclaboussée. »

Alors, pour une fois, c'était Grenouille ou Canard qui gagnait.

Ours Blanc avait une foule de jeunes admirateurs qui se pressaient autour de sa grotte. C'était de jeunes phoques écervelés. Dès qu'il sortait, ils poussaient des cris perçants.

« Ooooooooh ! Comme il est beau ! »

Avant qu'il soit longtemps, sa fourrure blanche était devenue pour Ours Blanc plus importante que tout. Quand, par hasard, un grain de poussière atterrissait sur le bout d'un de ses poils - il était furieux.

« Comment veut-on que je reste impeccable dans ce pays ! » tonnait-il alors. « Aucun d'entre vous ne m'a jamais vu sous mon meilleur aspect, à cause de la saleté qui règne ici. Je suis en réalité bien plus blanc qu'aucun d'entre vous ne m'a jamais vu. Je pense qu'il va falloir que j'émigre dans un autre pays. Un pays où il n'y aura pas de poussière. Où pourrais-je bien aller ? »

Il disait cela parce que les phoques avaient l'habitude de protester :

« Oh, s'il te plaît, ne nous quitte pas. S'il te plaît, ne nous prive pas de ta beauté. Nous ferons n'importe quoi pour toi ! »

Il adorait entendre cela.

Bientôt des animaux vinrent du monde entier pour l'admirer. Ils contemplaient sans fin Ours Blanc, étendu sur son rocher au soleil.

Puis ils rentraient chez eux et essayaient très fort de lui ressembler. Mais c'était impossible. Ils n'avaient pas la bonne couleur. Ils étaient noirs,

ou bruns,

ou jaunes,

ou roux,

ou fauves,

ou tachetés, mais aucun d'eux n'était blanc.

Bientôt la plupart d'entre eux abandonnèrent leurs tentatives. Mais tous les jours, ils venaient contempler Ours Blanc avec envie. Certains apportaient leur pique-nique. Ils s'asseyaient en une vaste foule parmi les arbres à l'entrée de sa grotte.

« Regardez-le bien, » disait Hippopotame à ses enfants. « Et tâchez de devenir comme lui en grandissant. »

Mais rien ne plaisait à Ours Blanc.

« La poussière que ces foules soulèvent ! » soupirait-il. « Pourquoi dois-je toujours endurer cela ? Si seulement il existait un pays vraiment propre, qui ne soit rien qu'à moi... »

Toutes les autres créatures commençaient à en avoir assez qu'il soit tellement plus admiré qu'elles. Mais l'une d'entre elles encore plus que les autres. C'était Faucon Pèlerin.

C'était un bel oiseau, d'accord. Mais il n'était pas blanc. De temps en temps, au concours de beauté, il arrivait second derrière Ours Blanc.

« Sans lui, » enrageait-il, « je serais le premier à chaque fois. »

Il se mit à réfléchir à un plan pour s'en débarrasser. Comment ? Comment ? Comment ? A la fin, il trouva.

Un jour il alla trouver Ours Blanc.

Faucon Pèlerin était allé dans tous les pays du monde. C'était un grand voyageur, toutes les créatures le savaient bien.

« Je connais un pays, » dit-il à Ours Blanc, « qui est si propre qu'il est encore plus blanc que toi. Les rochers sont de vrais miroirs, et la terre est entièrement gelée. Là, il n'y a ni saleté, ni poussière, ni boue. Tu y serais plus blanc que tu ne l'as jamais été ici. Et là-bas, il n'y a personne. Tu pourrais être roi. »

Ours Blanc cacha mal son excitation.

« Tu dis que je pourrais être roi ? » s'écria-t-il. « Ce pays a l'air d'être fait pour moi. Ni foules, ni saleté ? Et les rochers sont des miroirs, dis-tu ? »

« Des miroirs étincelants. » insista Faucon Pèlerin.

« Merveilleux ! » cria Ours Blanc.

« Et la pluie, » ajouta-t-il, « est blanche comme du lait. »

« Encore mieux ! » exulta Ours Blanc. « Combien de temps faut-il pour y aller, que je quitte ces foules qui me contemplent et toute cette poussière ? Je pars pour un autre pays, » annonça-t-il aux autres animaux. « Ici c'est bien trop sale pour moi. »

Faucon Pèlerin alla chercher Baleine pour transporter son passager. Il s'installa sur le front de Baleine, pour lui indiquer la direction. Ours polaire se mit sur son dos, pour regarder la mer. Les phoques, qui avaient supplié qu'on les emmène, s'installèrent sur la queue.

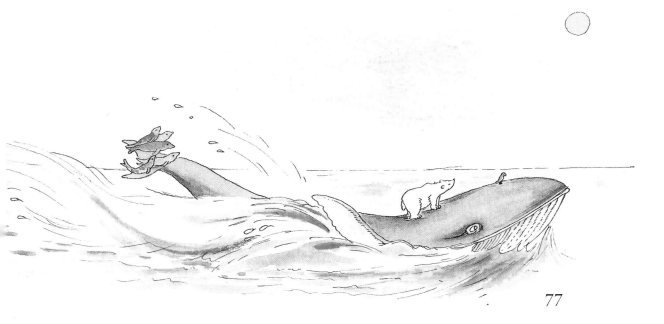

Quelques jours plus tard, ils arrivèrent au Pôle Nord, où tout est neige et glace.

« Te voilà arrivé, » cria Faucon Pèlerin. « Tout est comme je te l'ai décrit. Pas de foules, pas de saleté, rien que de la blancheur immaculée. »

« Et les rochers sont vraiment des miroirs ! » s'écria Ours Blanc, en courant vers l'iceberg le plus proche pour se refaire une beauté après ce long voyage.

Et chaque jour maintenant, il se mettait sur un iceberg ou un autre, et se faisait beau en se mirant dans la glace. Les phoques se tenaient toujours à côté de lui. Sa fourrure devint de plus en plus blanche dans ce nouveau pays tout propre. Quand il s'en rendit compte, il décréta :

« Je ne retournerai jamais dans ce vieux pays tout sale. »

Et c'est pourquoi il est toujours là-bas, avec ses admirateurs autour de lui.

Faucon Pèlerin repartit vers les autres créatures, et leur annonça qu'Ours Blanc était devenu Ours Polaire pour toujours. Ils furent tous bien contents, et ils allèrent aussitôt se faire beau. Chacun se dit :

« Maintenant qu'Ours Blanc est hors-concours, j'ai peut-être une chance de gagner ? »

Et Faucon Pèlerin se dit :

« Maintenant, c'est sûr, je suis le plus beau de tous les animaux »

Mais ce premier 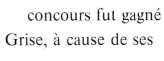 concours fut gagné par Petite Souris Grise, à cause de ses petites pattes roses.

LA CHASSE

« Alors, ma chérie, » dit Maître Renard. « Qu'est-ce que ce sera pour ce soir ? »

« Je pensais à du canard, » répondit Dame Renard. « Rapporte-nous deux canards dodus, s'il te plaît. Un pour toi et moi, et un pour les enfants. »

« Va pour les canards ! » fit Maître Renard. « Ceux de Bunce sont les meilleurs ! »

« Mais fais bien attention, » dit Dame Renard.

« Ma chérie ! » ajouta Maître Renard, « Je peux renifler ces imbéciles à une lieue. Je peux même les distinguer les uns des autres. Boggis répand une atroce puanteur de poulet avarié. Bunce empeste le foies d'oies, et quant à Bean, des relents de cidre le précèdent, en nuages pestilentiels. »

«Oui, mais sois bien prudent,» fit Dame Renard. «Tu sais qu'il vont t'attendre, tous les trois».

«Ne te fais pas de souci,» fit Maître Renard.

«A tout à l'heure.»

Mais Maître Renard n'aurait pas été aussi sûr de lui s'il avait su exactement *où* les trois fermiers l'attendaient à cet instant précis. Ils étaient juste à l'entrée de son trou, chacun d'eux tapi derrière un arbre, le fusil chargé. Et, en plus, ils avaient choisi leur emplacement avec soin, s'assurant que le vent ne venait pas de leur côté en direction du trou du renard, mais qu'il soufflait dans la direction opposée. Ainsi, ils n'avaient aucune chance d'être « reniflés ».

Maître Renard rampa jusqu'à la sortie de son trou. Il pointa son museau étroit et renifla l'air nocturne.

Il sortit de quelques centimètres puis s'arrêta.

Il renifla à nouveau. Il était toujours extrêmement prudent quand il sortait de son trou.

Il progressa encore un peu. La moitié supérieure de son corps était maintenant à découvert.

Sa truffe noire allait de droite et de gauche, reniflant et reniflant encore en quête de l'odeur du danger. Ne l'ayant pas trouvée, il se préparait à partir en direction du bois quand il entendit, ou il lui sembla entendre, un très léger bruit, comme si quelqu'un marchait tout doucement sur des feuilles mortes.

Maître Renard s'aplatit contre le sol et resta immobile, les oreilles aux aguets. Il attendit longtemps, mais n'entendit plus rien.

« Cela devait être un mulot », se dit-il, « ou quelque autre petite bestiole. »

Il rampa encore un peu hors du trou... puis se tint immobile. Il était presque entièrement à découvert maintenant. Il regarda à nouveau autour de lui. Tout était calme dans le bois sombre. Quelque part dans le ciel, la lune brillait.

C'est alors que son regard habitué à l'obscurité fut soudain attiré par quelque chose qui brillait derrière un arbre, non loin de là. C'était un tout petit morceau de lune argenté qui se reflétait sur une surface polie. Maître Renard s'immobilisa pour regarder. Qu'est-ce que ça pouvait bien être ? Maintenant cela bougeait. Cela remontait, remontait... *Par tous les diables ! C'était le canon d'un fusil !*

Vif comme l'éclair, Maître Renard sauta dans son trou et au même moment le bois entier sembla exploser autour de lui.

Pan-pan ! Pan-pan ! Pan-pan !

La fumée des trois fusils s'élevait dans le ciel nocturne. Boggis, Bunce et Bean sortirent de derrière leurs arbres et allèrent vers le trou.

86

« On l'a eu ? » demanda Bean.

L'un d'entre eux dirigea une lampe de poche vers le trou, et là sur le sol, dans le rond de lumière, juste à l'entrée du trou, il y avait... des lambeaux ensanglantés, ce qui restait de la queue d'un renard. Bean les ramassa. « On a la queue, mais on a raté le renard, » fit-il en la jetant.

« Zut et crotte ! » dit Boggis. « On a tiré trop tard. On aurait dû faire feu quand il a pointé le museau. »

« Il n'est pas près de repointer le museau, » fit Bunce. Bean tira un flacon de sa poche et prit une lampée de cidre. Puis il dit, « Il va falloir au moins trois jours avant qu'il soit assez affamé pour sortir. Je ne vais pas rester là à attendre. Débusquons-le plutôt. »

« Ah, », dit Boggis. « Enfin une bonne parole. En deux heures on devrait l'avoir débusqué. On sait qu'il est là. »

« Je parie qu'il y en a toute une famille dans ce trou, » fit Bunce.

« Alors on les aura tous, » dit Bean. « Prends les pelles. »

★★★

Dans le trou, Dame Renard léchait tendrement le moignon de queue de Maître Renard pour arrêter le saignement. « C'était la plus belle queue à des lieues à la ronde, » s'interrompait-elle. « Ça fait mal, » dit Maître Renard.

« Je sais, mon chéri. Mais ça va bientôt aller mieux. »

« Et elle repoussera, tu sais papa, » fut l'un des petits Renardeaux.

« Elle ne repoussera jamais, » dit Maître Renard. « Je serai sans queue pour le reste de mon existence. » Il avait l'air très triste. Ce soir-là, il n'y eut rien à manger pour les renards, et les petits s'endormirent très vite. Puis à son tour, Dame Renard. Mais Maître Renard n'arrivait pas à dormir à cause de la douleur.

« Eh bien, » pensait-il, « Je suis plutôt veinard de m'en être sorti vivant. Et maintenant qu'il ont trouvé notre trou, il va nous falloir déménager le plus vite possible. On ne sera pas tranquilles tant que... Qu'est-ce que c'est que *ça ?* »

88

Il tourna la tête brusquement et écouta. Le bruit qu'il entendait était le bruit le plus effrayant qu'un renard puisse entendre - le bruit de pelles en action.

« Réveillez-vous ! » cria-t-il. « Ils vont nous débusquer . »

Dame Renard s'éveilla aussitôt. Elle s'assit tremblante. « Es-tu sûr que c'est ça ? » chuchota-t-elle.

« Archi-sûr ! Ecoute ! »

« Ils vont tuer mes enfants ! » cria Dame Renard.

« Jamais ! » dit Maître Renard.

« Si, chéri, ils le feront ! » sanglota Dame Renard. « Tu sais bien qu'ils le feront ! »

Scratch, scratch, scratch faisaient les pelles au-dessus de leurs têtes. De petites pierres et des éboulis commençaient à tomber du haut de leur tunnel.

«Comment vont-ils nous tuer, Maman?» demanda l'un des petits renardeaux. Ses yeux noirs étaient élargis de frayeur. «Est-ce qu'il y aura des chiens?» demanda-t-il.

Dame Renard se mit à pleurer. Elle rassembla ses enfants autour d'elle et les tint serrés.

Soudain il y eut un fracas particulièrement fort au-dessus de leur tête et le bout d'une pelle perça la terre au-dessus d'eux. La vue de cet atroce ustensile sembla avoir un effet galvanisant sur Maître Renard. Il se dressa et s'écria. «J'ai une idée! Venez! Il n'y a pas un moment à perdre! Pourquoi est-ce que je n'y ai pas pensé plus tôt!»

«Pensé à quoi, Papa?»

«Un renard peut creuser plus vite qu'un homme!» cria Maître Renard en commençant à creuser. «Personne ne creuse aussi vite qu'un renard!»

La terre giclait derrière Maître Renard tandis qu'il creusait pour sauver sa peau avec ses pattes de devant. Dame Renard courut l'aider. Et aussi les quatre renardeaux.

«Creusez profond!» ordonna Maître Renard. «Il faut creuser le plus profond possible!»

Le tunnel s'allongeait. Il descendait très profond maintenant. Le père, la mère et les quatre renardeaux creusaient ensemble. Ils agitaient leurs pattes de devant tellement vite qu'on ne les voyait plus. Et peu à peu le grattement et le percement des pelles se fit plus lointain.

92

Après environ une heure, Maître Renard s'arrêta de creuser. « Stop ! » fit-il. Ils s'arrêtèrent tous. Ils se retournèrent pour regarder le long tunnel qu'ils avaient creusé. Tout était tranquille. « Ouf ! » fit Maître Renard. « Je pense qu'on a réussi. Ils n'arriveront jamais à creuser aussi profond. Bravo tout le monde ! »

Ils s'assirent tous, pour reprendre leur souffle. Et Dame Renard dit à ses petits, « Je voudrais que vous sachiez bien que sans votre père nous serions tous morts. Votre père est fantastique. »

Maître Renard regarda sa femme en souriant. Il l'aimait encore plus quand elle disait des choses comme ça.

L'OIE EN OR

Il y avait une fois un homme qui avait trois fils, dont le plus jeune n'était pas très doué. Les gens l'appelaient «Grand Nigaud» parce qu'il n'avait pas toutes ses facultés. Certains étaient méchants envers lui; d'autres le taquinaient.

Un jour, comme l'aîné allait partir pour la forêt couper du bois, sa mère lui donna un joli petit pâté et une bouteille de vin. Alors qu'il marchait dans le bois, il rencontra un vieillard qui le salua et dit :

«Donne-moi un morceau de ton pâté et un peu de vin.»

«Te donner de ma nourriture? Non merci. Et moi, alors, qu'est-ce que je mangerai ?»

Et il continua son chemin. Mais quand il commença à abattre un arbre, sa hache glissa et lui coupa profondément la jambe, et il dut retourner chez lui en boitant.

Le jour suivant, le second fils alla au bois avec un autre joli petit pâté et une bouteille de vin; il rencontra le même vieillard, qui lui demanda quelque chose à manger et à boire. Mais le second fils lui dit :

«Va-t-en vite, car plus je t'en donnerai et moins il m'en restera.»

Mais quand lui aussi commença à couper du bois, sa hache glissa de nouveau, et le blessa si profondément à la jambe qu'il dut rentrer lui aussi en boitant.

Le jour suivant, puisque ses deux frères étaient blessés, «Grand Nigaud» dut aller au bois. Mais sa mère lui donna seulement une vieille croûte de pain, et une bouteille de mauvaise bière. Le vieillard l'attendait, et quand il mendia un peu de nourriture et de boisson, «Grand Nigaud» lui dit de suite :

«Je n'ai que du pain rassis et de la bière aigre, mais si ça te va, asseyons-nous ici et partageons-les ensemble.» Comme ils s'asseyaient pour manger, «Grand Nigaud» trouva que son pain était devenu de la bonne viande et sa bière du bon vin. Ils mangèrent et burent avec grand plaisir et le petit homme dit :

«Puisque tu as si bon coeur, et que tu as tout partagé avec moi, je vais te faire un cadeau. Quand tu couperas ce vieil arbre, tu trouveras quelque chose de précieux dans la souche.»

Le vieillard le salua et partit.

«Grand Nigaud» se mit au travail et quand l'arbre fut coupé, il trouva sous les racines, une oie dont les plumes étaient en or. Il se sentait fatigué après tout son travail; au lieu de rentrer chez lui, il passa la nuit dans une auberge qu'il trouva sur la route. Le propriétaire de l'auberge avait trois filles, et quand elles virent

l'oie merveilleuse, chaque fille voulut voler une des plumes en or.
L'aînée attendit que le jeune homme soit couché pour saisir l'oie
par l'aile. Alors, à sa grande surprise elle ne put détacher ni
même bouger sa main, pas même un doigt. La deuxième fille
arriva alors, mais aussitôt qu'elle avança la main vers sa soeur, elle
aussi se trouva prise. Enfin la plus jeune des soeurs arriva, mais
ses soeurs aînées s'écrièrent : «Ne nous touche pas.»

Elle pensa : «Mes soeurs veulent garder toutes les plumes pour
elles.»

Avançant la main vers ses soeurs, elle se sentit elle aussi
prisonnière. Elles restèrent comme cela jusqu'au matin.

Le lendemain, «Grand Nigaud» se leva, mit l'oie sous son bras,

et s'en alla, tout joyeux, avec les trois filles forcées de le suivre.

Au milieu d'un pré, ils rencontrèrent le prêtre qui, voyant trois filles qui couraient après un garcon, s'écria :

«Vous devriez avoir honte, jeunes coquines, de courir ainsi après ce jeune homme.»

Et s'efforçant d'attraper la plus jeune, il fut entrainé à leur suite à une telle allure que ses pieds en souffraient énormément.

Bientôt, l'Abbé arriva, et s'étonna de voir son supérieur qui se démenait à côté d'une bande de jeunes filles.

«Attendez Monsieur le Curé. Avez-vous oublié que vous avez un baptême à faire aujourd'hui ?» Ce disant, il saisit la soutane du prêtre et lui aussi se trouva attaché. A ce moment, deux laboureurs revenaient de leur travail et le curé leur demanda de l'aider. Ils prirent l'Abbé par le bras, voulant les tirer d'affaire mais ils se rendirent vite compte qu'eux non plus ne pouvaient s'en défaire.

Donc les voilà tous les sept qui couraient après «Grand Nigaud» et son oie.

«Grand Nigaud» prit soudain envie de découvrir un peu le monde avant de rentrer chez lui. Il prit son oie et la bande qui les suivaient, jusqu'à la ville. Dans cette ville vivait un Roi qui avait une fille si triste que personne ne l'avait jamais vu sourire. Le Roi s'inquiétait de sa mine misérable, et avait déclaré que quiconque la ferait sourire pourrait l'épouser.

La Princesse regardait par la fenêtre au moment-même où «Grand Nigaud» passait. Quand elle vit le jeune homme joyeux, son oie sous le bras, à la tête d'une bande de gens qui trébuchaient et se marchaient dessus, elle éclata de rire. C'est ainsi que «Grand Nigaud» épousa la jeune Princesse. Leur vie fut longue et heureuse, mais personne n'entendit jamais plus parler de l'oie, ni de son plumage en or, ni de son cortège.

LE CHIEN LE PLUS AFFECTUEUX DU MONDE

Ouf était le chien le plus affectueux du monde. Il se tenait à la porte du jardin, et tout le monde s'arrêtait pour le caresser.

Tim était très fier d'avoir un chien aussi affectueux. Aussi, quand Papa rentra avec les dernières nouvelles, «Nous allons habiter en Ecosse !», Tim dit avec fermeté, «Je ne pars pas sans Ouf. »

«Mais bien sûr qu'il viendra avec nous ! » fit Maman. «C'est notre chien. »

Tim n'était pas très sûr d'avoir envie d'aller en Ecosse. C'était tellement loin de Londres. Et les gens avaient un accent si bizarre.

Cela lui parut encore plus bizarre quand ils arrivèrent à Edimbourg - avec tous ces grands immeubles gris.

«Tu vas te plaire, ici, » dit Maman pendant qu'ils s'installaient .

«Tu verras quand tu iras à l'école. Tu vas vite te faire des amis. » Tim se sentait complètement perdu. Il n'arrivait pas à comprendre ce que les gens disaient, et ses amis lui manquaient. Ouf restait à ses pieds, comme s'il comprenait que Tim était malheureux.

Et puis - pour couronner le tout - Ouf disparut. Il se faufila par un trou dans la haie, et s'enfuit. Quelques heures plus tard, il revint, mais pas pour longtemps. Dès que Maman ouvrait la porte, il se glissait dehors, et disparaissait par le trou.

« J'espère qu'il ne se perdra pas, » dit Tim.

Le veilleur de nuit de l'usine s'installa devant le feu. Il avait des sandwiches au bacon, pour plus tard, et un thermos de thé. Il faisait très bon dans la petite cabane.

C'est alors qu'il entendit une sorte de martèlement, comme si quelqu'un tapait sur un couvercle de poubelle.

« Tu es fait ! » s'écria-t-il, en braquant sa lampe sur le cambrioleur.

Mais ce n'était pas un cambrioleur, c'était un petit chien noir.

« Eh bien, rentre. » fit le veilleur de nuit.

Ouf - car c'était lui - ne se le fit pas dire deux fois. « Veux-tu un peu de mon sandwich ? » demanda le veilleur de nuit.

Ouf n'en laissa pas une miette puis il s'installa sur un vieux tapis.

Au matin, il aboya à la porte de la cabane.

« O.K., » fit le veilleur de nuit. « Rentre chez toi. Est-ce qu'il y a un nom et une adresse sur ton collier ? » C'est bizarre, » pensa-t-il, « ce n'est pas une adresse de par ici. Tu dois être perdu. »

Tous les soirs, Ouf vint rendre visite au veilleur de nuit. « C'est un vrai chien de garde, » pensa le veilleur de nuit. « Il réagit au moindre son. Il n'a pas de nom. Je vais l'appeler Plouf. »

Ce soir-là, il demanda à sa femme de lui rajouter un autre sandwich au bacon.

« Ouaf ! » fit Ouf. Il adorait les sandwiches au bacon.

La petite école primaire n'était pas loin de l'usine. Les enfants étaient sortis en récréation, et la dame de la cantine nettoyait. « Eh bien ! » fit-elle, « nous avons de la visite. » Elle mit quelques petits bouts de gâteau sur un journal et le posa devant la porte de la cuisine. « Bon chien. »

Ouf - car c'était lui - mangea les bouts de gâteau et la suivit jusqu'à ce qu'elle le mette à la porte.

Mais le lendemain, il revint. Il poussa la porte de la cuisine, et prit son air suppliant. « Encore toi ! » dit la dame de la cantine.

« Toi, tu est un vrai comédien. Voilà - aujourd'hui, il y a du haggis. »

Ouf n'avait jamais mangé de haggis. C'était de la panse de brebis farcie à la viande. Ça sentait très bon.

«Je n'ai jamais vu un chien manger aussi vite,» pensa la dame de la cantine. «Je vais t'appeler Bouf.» Elle regarda son collier. «Je ne sais pas où ça peut être. Pauvre toutou. Tu dois être perdu.»

Ouf s'assit pendant un moment sur le mur pour regarder les enfants jouer - puis il se joignit à eux, poursuivant la balle avec des jappements de joie. Et ensuite il repartit - où, cette fois-ci ?

La vieille dame habitait dans une maison près de l'école. Elle n'occupait qu'une seule pièce remplie de vieilles photographies, de porcelaines et d'autres trésors.

Un jour, elle était dans son jardin, et elle écoutait un rouge-gorge gazouiller. Soudain, quelque chose lui frôla les jambes, et le rouge-gorge s'envola.

«Oh!» dit-elle. «Quelle surprise!» Elle regarda à ses pieds le petit chien noir. «D'où viens-tu?»

Elle regarda son collier. «Tu dois être perdu, pauvre petit chien. Rentre.»

Elle ouvrit un paquet de biscuits et en donna deux à Ouf qui, en échange, lui donna la patte.

Puis il alla se coucher devant la cheminée et y resta jusqu'à ce qu'il commence à faire sombre. Alors il se secoua et partit dans la nuit.

La vieille dame attendit Ouf tous les après-midi. Elle achetait des boîtes de nourriture pour chien au supermarché et parfois demandait un os au boucher pour lui.

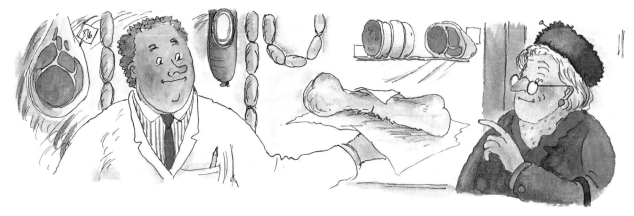

«Noël s'annonçait si triste,» fit-elle. «Mais tu es venu me voir. Je vais t'appeler Touffe.»

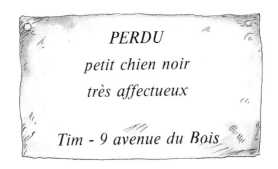

PERDU

petit chien noir

très affectueux

Tim - 9 avenue du Bois

Tim était très ennuyé, ct Papa ct Maman aussi. Qu'était-il arrivé à Ouf ? « Nous aurions dû mettre notre nouvelle adresse sur son collier, » dit Maman.

« Il reviendra, » dit Papa.

« Si nous mettions une annonce chez le marchand de journaux, » dit Maman.

Tim écrivit sur une carte :

« PERDU petit chien noir. Très affectueux. »

Et il ajouta son nom et son adresse.

Le lendemain était un samedi. La dame de la cantine alla chez le marchand de journaux pour payer son abonnement. Elle regarda les annonces dans la vitrine et s'arrêta net. « Perdu, » dit-elle. « Et si c'était...»

La vieille dame alla à la poste pour acheter des timbres. Il y avait tellement de monde qu'elle hésita et s'arrêta devant la vitrine du marchand de journaux.

« Perdu... » Elle hocha la tête. « Oui, très affectueux. Cela pourrait être... »

Le veilleur de nuit alla acheter le journal pour lire les pages sportives. Il s'arrêta aussi pour regarder les annonces dans la vitrine.

« Ça alors, » fit-il. « On dirait tout à fait mon ami Plouf. »

« Le moral semble bien bas aujourd'hui, » dit Maman. « Je vais faire un bon gâteau pour le goûter. »

« Mmmm. Ça sent bon, » fit Papa quand Maman sortit le gâteau du four. C'est alors qu'on sonna à la porte.

« Excusez-moi, » fit l'homme sur le seuil. Il avait l'air très jovial. « Votre téléphone ne marche pas - Etes-vous au courant ? Je crois que j'ai vu votre chien ».

« Formidable ! » dit Papa.

Juste à ce moment, une dame sauta de sa bicyclette. « Hello ! » fit-elle. « Je crois que j'ai vu votre chien... »

« Formidable ! » dit Papa.

L'homme s'assit et défit son cache-nez. « Je suis veilleur de nuit, » raconta-t-il. « Une nuit, j'étais assis devant le feu. Dehors il faisait nuit noire, et l'obscurité était effrayante... »

Tim adorait les histoires de fantômes qui commençaient comme ça - et le veilleur de nuit adorait raconter des histoires.

Il commençait juste quand on sonna à nouveau à la porte. C'était la vieille dame.

« Je crois que j'ai vu votre chien », dit-elle.

« Formidable ! » dit Papa.

La cuisine était bondée maintenant ! « Un moment, » fit Maman. « J'ai entendu quelque chose. » Elle ouvrit la porte de la cuisine.

« Plouf ! »

« Bouf ! »

« Touffe ! »

« Ouf ! » cria Tim. Ouf bondit en remuant la queue.

« Je pense, » fit Maman en souriant, « qu'une bonne tasse de thé serait la bienvenue. »

Bientôt, le veilleur de nuit raconta des histoires sur la ville. Et la vieille dame n'avait pas autant parlé depuis des années.

La dame de la cantine demanda à Tim où il allait à l'école. « Est-ce que tu connais mon fils Benjamin ? Je l'amènerai demain pour jouer avec toi. »

Tim se sentait plus joyeux. Peut-être qu'après tout il allait se faire des amis.

« Un chien si aimable, » dit la vieille dame.

« Un vrai comédien, » dit la dame de la cantine.

« Bon chien de garde, » dit le veilleur de nuit.

« Ça ne ressemble pas du tout à Ouf, » fit Papa.

Ils se tournèrent tous vers Ouf, mais il n'était plus là.

« Il est reparti en exploration, » fit Maman. « Quand il reviendra, nous mettrons sa nouvelle adresse sur son collier. Ce n'est pas étonnant qu'il se soit enfui. »

« Mais c'est sa maison, maintenant, » dit Tim.

« C'est bien vrai, » dit Maman. « Qui veut reprendre du gâteau ? »

L'ANNIVERSAIRE DE POM LE LAPIN

Sous la terre, il y avait grand dépoussiérage et grand nettoyage, dans la petite maison où Pom le lapin habitait. Grand époussetage, grand lavage et grand astiquage des chandeliers, des pots à épices et des casseroles ! La cuisine de Maman Lapin brillait de tous ses feux.

Les casseroles de cuivre étaient rangées sur l'étagère tout autour de la pièce et brillaient comme des miroirs. Dans de petites niches il y avait des vers luisants, qui avaient allumé leur petite lumière verte. Des touffes de thym, de romarin et de lavande pendaient au plafond, répandant de douces odeurs. Le sol était recouvert d'un tapis tout neuf de petites fleurs sauvages, avec leurs minuscules pétales bleu et blanc, doux comme de la soie.

Papa Lapin s'affairait pour donner la dernière touche aux préparatifs. Maman Lapin cuisait les beignets et les gâteaux et les empilait sur des plats. Pom allait et venait, transportant des pots d'eau de source, pour la limonade et le sirop, qui n'étaient pas bien sûr de la vraie limonade et du vrai sirop. Non, la limonade était faite de miel et de feuilles de roses avec une pincée de baume de citron, et le sirop de fleurs tièdes de gueules-de-loup et de pissenlit.

Mais pourquoi tout ce remue-ménage ? Pom Lapin allait avoir son premier goûter d'anniversaire. Tous ses camarades d'école étaient invités. Le vieux Jonathan leur avait même donné congé. Il y aurait sept petits amis, six de la célèbre famille Lapin : Adam et Bill Lapin, de l'Allée des Orties, Charlie et Fred du Pré aux Coucous, Fanny et Katy du Massif aux Marguerites, et le dernier, le petit Sam le Lièvre.

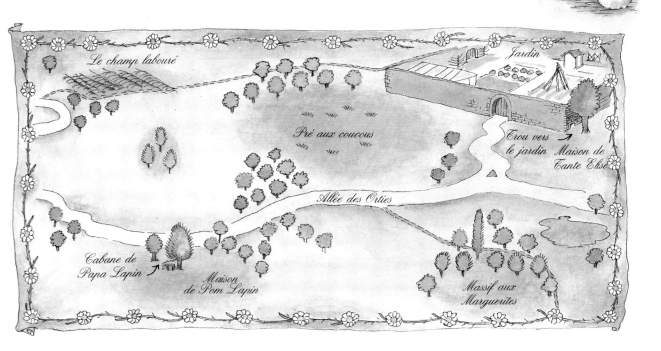

« Mais où allons-nous tous les mettre ? » demanda Maman Lapin. « Il n'y aura pas de place pour s'asseoir ! »

« On ne va pas s'asseoir, » fit aussitôt Pom.

« Je voulais dire ton père et moi, » dit Maman Lapin. « Il faudra bien qu'on repose nos vieux os. »

« Oh, moi je n'y serais pas, » fit Papa Lapin tranquillement. « Je ne supporte pas le vacarme. J'irai dans la cabane du jardin faire un peu de menuiserie. »

« D'accord Papa. Tu nous manqueras, mais autrement, tu nous aurais plutôt encombré, » dit Pom très poliment.

« Hmmm, » grommela Papa Lapin, en fronçant les sourcils. « Attention à toi, ou je vais te fabriquer une cage, Pom. »

Gâteaux, sandwiches, beignets, pâtés, » annonça Maman Lapin, qui courait de la table au buffet en disposant les plats couverts de mets délicieux. « Beignets de thym sauvage, et beignets au safran. Fromages de sauge et pâtés de pommes sauvages. Sandwiches aux œufs et à l'oseille. Tranches de pissenlit. Voilà qui est digne du Roi d'Angleterre, que Dieu le protège. »

« Confiture de cerises et confiture de prunelles. Gelée d'aubépine et gelée d'églantier, » dit le petit Pom, en dansant autour de la table, et en inspectant les pots blancs recouverts d'une feuille verte, chacun accompagné d'une cuiller de bois.

Papa Lapin ouvrit la porte de l'armoire à pharmacie. « Infusion d'armoise, huile de ricin et cataplasme de museau de belette. Voilà ce qu'il te faudra si tu manges tout ça, » fit-il à Pom, l'œil malicieux.

« Nous n'avons pas de salade, » s'écria soudain Pom. « Je vais aller en chercher. Je sais qu'il y en a dans le jardin de Tante Elise. »

« Ce n'est pas prudent, Pom. Tante Elise va très rarement dans le jardin. Il y a un nouveau jardinier, un jeune garçon très vif. »

« Je m'en fiche complètement, du nouveau jardinier, » fit Pom, en redressant fièrement la tête.

« Pom ! Ne fais pas le vantard. Nous n'avons pas besoin de salade. Va donc chercher un bouquet de fleurs pour mettre au centre de la table. Dépêche-toi. Ils arrivent à trois heures. »

Pom sortit, mais il avait décidé d'aller chercher de la salade.

« De la salade ? » fit Tante Elise quand Pom frappa à la porte de sa maisonnette tout près du jardin. « Il y a un nouveau jardinier, pas comme l'ancien qui était vieux, sourd et endormi. Je n'y suis pas allée depuis son arrivée. On m'a mise en garde ! »

« Je m'en fiche complètement du nouveau jardinier, » fit Pom. « C'est pour mon goûter d'anniversaire, Tante Elise. »

« Bon ! Bon ! Je vais aller te chercher un cadeau, mais reviens vite, Pom. Ne lambine pas sinon il pourrait bien t'attraper. »

Pom se faufila dans le trou du mur, qui était l'entrée privée de Tante Elise. Mon Dieu ! Il se prit dans un filet tendu en travers de l'ouverture. En fonçant dedans il s'y emmêla complètement. Pauvre petit Pom, quelle frayeur il eut ! Il entendit le jardinier qui bêchait un peu plus loin, et les oiseaux qui chantaient dans les arbres au-dessus de sa tête.

« Pauvre Pom Lapin ! Il a fini par se faire prendre ! » chantaient-ils.

« Et personne ne peut le délivrer ! » roucoulaient les pigeons-ramiers.

« Qu'allons-nous faire ? » demanda la grive. « Qu'allons-nous faire ? »

« Laissez-le ! Laissez-le ! » fit la colombe.

« C'est bien fait ! C'est bien fait ! » jacassèrent les pies.

Et tous semblaient vouloir donner leur avis au pauvre petit Pom Lapin, pris dans son filet.

Le jardinier écouta un instant les oiseaux, et planta sa bêche dans le sol.

« Il y a quelque chose qui fait piailler ces oiseaux, » se dit-il en traversant le potager.

« Cette fois je t'ai eu, petite vermine, » dit-il, et il souleva Pom par les oreilles, pour mieux le regarder.

« S'il vous plaît, Monsieur - s'il vous plaît, Monsieur - » bafouilla Pom.

« Qu'est-ce que tu voulais ? Hein ? » demanda le jardinier.

« Une salade pour mon goûter d'anniversaire, » bégaya Pom. C'était difficile de parler quand on vous tenait par les oreilles.

« Une salade ? Un goûter d'anniversaire ? » fit le jardinier, et il se gratta la tête, sans toutefois lâcher Pom.

« Oui Monsieur, » fit faiblement Pom.

«Est-ce que tu aurais quelque chose à voir avec Pom Lapin?» demanda le jardinier, en souriant à Pom

«Je suis Pom Lapin, Monsieur. Je suis Pom. Je suis lui. Je suis Pom. C'est moi,» fit Pom à toute vitesse.

«Alors si c'est toi en personne, j'ai l'intention de -»

«Quoi?» demanda Pom, tandis que l'homme hésitait.

«De te ramener chez moi. Parce que mes enfants ont entendu parler de toi. Ils voudront te voir. Ils m'ont dit de bien regarder si je trouvais un lapin avec un habit bleu.»

«S'il vous plaît, Monsieur, laissez-moi partir, et je raconterai une histoire à vos enfants. Je le promets,» cria Pom.

«Non, je t'emmène d'abord.» fit le jardinier. Et il enfonça Pom dans sa poche, mais Pom se débattit et sauta. Et il détala dans le jardin, le jardinier à ses trousses.

«Je ne peux pas m'arrêter!» cria Pom, en se glissant sous la porte. «Sinon, je serai en retard pour la fête.»

Le jardinier éclata de rire, et il lança une salade par-dessus le mur.

« Prends ta salade, Pom Lapin, et souviens-toi de venir un de ces soirs pour raconter une histoire aux petits. »

« Je n'oublierai pas, » promit Pom. Il ramassa la salade et courut chez Tante Elise.

« Oh, Pom, j'ai bien cru que tu t'étais fait attraper, » cria-t-elle.

« Je me suis fait attraper, mais il m'a laissé partir, » répondit Pom. « Est-ce que tu as mon cadeau, Tante Elise ? »

« Le voilà, Pom. » Tante Elise lui tendit un morceau de miroir qu'elle avait trouvé dans le bois. Pom pouvait y voir son nez et ses moustaches. C'était un merveilleux cadeau, et Pom fit une très grosse bise à Tante Elise pour la remercier.

Puis il retourna à la maison. Les invités étaient déjà en chemin, l'un derrière l'autre. Six petits lapins et Sam le lièvre qui se dandinait derrière. Pom coupa à travers les buissons pour les devancer.

« Ils arrivent ! Ils seront là dans une minute, » cria-t-il. Il eut juste le temps de se laver les mains et se brosser les cheveux devant son miroir.

Les invités étaient derrière la porte. Toc ! Toc ! Ils chuchotaient, ricanaient et piétinaient tout en frappant à la porte.

Quand Maman Lapin leur ouvrit, ils se ruèrent dans la pièce, tandis que Papa Lapin passait par la porte de derrière.

« Nous t'avons apporté des cadeaux, Pom. »

«Bon anniversaire,» firent-ils en lui tendant leurs cadeaux.

Un filet à provision, mais bien sûr pas en ficelle, en crin, de la part d'Adam Lapin.

Un rayon de miel des abeilles sauvages, de la part de Bill.

Un livre en feuilles de noyer cousues entre elles, mais où il n'y avait rien d'écrit, de la part de Charlie.

Un ballon, pas en caoutchouc, mais en coucous, de la part de Fred.

Un porte-monnaie, pas en cuir, en peau de champignon, de la part de Fanny.

Un jeu de quilles, tout en pommes de pins, de la part de Katy.

Une jolie pelote à épingles rouges, tout droit venue d'un buisson de roses, de la part de Sam le Lièvre.

«Merci ! Merci ! Merci !» cria Pom, rouge de plaisir, en ouvrant ses cadeaux.

Tout d'abord, ils goûtèrent, et ils léchèrent tellement bien leurs assiettes qu'elles étaient presque propres.

Puis on enleva les tables pour qu'ils aient assez de place pour jouer. Ils jouèrent au facteur : chacun frappait à la petite porte verte exactement comme un vrai facteur, mais dans la sacoche il y avait des bises de lapins. Vous savez comment on fait des bises de lapin, n'est-ce-pas ? Les lapins se frottent le nez pour s'embrasser, comme les esquimaux.

Ils jouèrent ensuite aux chaises musicales, mais sans chaises, car Maman Lapin était assise sur l'unique chaise. La musique venait d'une paille de blé, dans laquelle elle soufflait.

Ils dansèrent, mais ni la valse ni la polka. C'était un Lapin-trot, qui les amusa beaucoup. Il n'y avait pas d'orchestre, mais un rossignol, une grive et un merle dans le bois voisin qui chantaient leur plus belle chanson pour la compagnie.

Ils ouvrirent des surprises, avec des pétards à l'intérieur ; mais ce n'était pas de vrais pétards, c'était des enveloppes de graines de balsamine qui éclatent dès qu'on les touche. Ils trouvèrent ça très drôle.

Ils firent tinter des clochettes de campanules des champs.

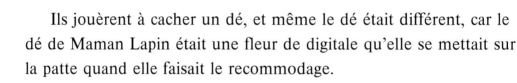

Ils jouèrent à cacher un dé, et même le dé était différent, car le dé de Maman Lapin était une fleur de digitale qu'elle se mettait sur la patte quand elle faisait le recommodage.

Pendant tout le temps de leurs jeux, un tap-tap-tap se faisait entendre dehors, dans la cabane du jardin.

« Qu'est-ce que c'est que ce bruit ? Un pic-vert ? » demanda le petit Adam Lapin.

« C'est Papa qui fait de la menuiserie, » fit Pom. « Il aime bien taper. »

Et ils continuèrent, faisant un tel tapage qu'on n'entendait même plus le tap-tap de Papa Lapin.

Puis ils se dirent au-revoir et se mirent en chemin, en criant « Au revoir » et « Merci beaucoup », mais le tap-tap continuait encore.

120

« Ils sont tous partis maintenant, et c'était une fête très réussie, » fit Pom par le trou de la serrure. « Tu peux sortir, Papa. »

« Impossible ! J'ai frappé tout le temps pour vour prévenir que j'étais enfermé, » cria Papa Lapin d'une voix très en colère.

« Pourquoi n'es-tu pas venu plus tôt ? »

« On pensait que tu travaillais, Papa, » balbutia Pom. Il secoua la porte et courut à la cuisine appeler sa mère.

« Papa est enfermé ! » cria-t-il. Il ne peut pas sortir. »

Maman Lapin se précipita, Papa Lapin tapait avec son marteau. La petite porte de la cabane était tellement bien fermée qu'on aurait dit qu'elle était collée.

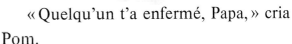

« C'est fermé à clé, et la clé n'est plus là, » fit Maman Lapin.

« Quelqu'un t'a enfermé, Papa, » cria Pom.

« Je le sais. Je l'avais deviné il y a deux heures, » grommela Papa Lapin. « Je commence à avoir faim. »

« Qui a bien pu faire ça ? » chuchota Pom à sa maman. En fait, il savait. C'était le petit Sam le Lièvre, bien sûr. Sam était un farceur né : il était sorti de la pièce pour jouer au facteur et quand ils l'avaient appelé, il était revenu avec un regard sournois.

« Qui a bien pu faire ça ? » chuchota sa maman à Pom.

« Ça n'a pas d'importance, qui a bien pu le faire. C'est fait, c'est fait, et moi j'en ai assez, » grogna Papa Lapin dont l'ouïe était plus fine qu'on aurait pu le croire.

Alors Pom et Maman Lapin poussèrent et tirèrent, et Papa Lapin tapa avec son marteau et donna des coups de pied mais la petite porte était en chêne solide, et qu'auraient bien pu faire trois petits lapins armés d'un seul marteau et de pattes feutrées ? La cabane était bien plus vieille et plus solide que leur maison.

« Quelqu'un doit avoir la clé, » fit Maman Lapin.

« Bien sûr, » cria Papa Lapin. « Vous m'auriez délivré, si la clé était là, non ? »

« Ne crie pas, mon chéri, » fit Maman Lapin. « Les voisins vont croire qu'on se dispute et ça ne nous arrive jamais. »

« Ça va nous arriver, si je ne sors pas, » gronda Papa lapin. « J'ai faim. »

« On pourrait te nourrir par le trou de la serrure, » fit Pom.

« Pas question ! » cria Papa Lapin.

« Par le trou on ne pourrait que verser de la soupe, Pom, » fit tristement Maman Lapin.

« Je déteste la soupe, » grogna Papa Lapin.

« Je vais aller chercher une clé, » fit Pom.

Il revint avec la clé de l'horloge et la clé de la tirelire, mais elles ne voulurent pas ouvrir la porte. Il apporta la cuillère en bois et la cuillère d'argent, mais elles ne voulurent pas non plus ouvrir la porte.

« Je vais chercher Sam le Lièvre, et lui donner ce qu'il mérite, pour avoir enfermé mon père, » se dit Pom.

« Je vais aller chercher la clé, Maman, » annonça-t-il.

« Je suppose qu'elle doit être quelque part par là. »
Dans le champ labouré, Sam le Lièvre sautait et dansait joyeusement. Il chantait une comptine dont les paroles parvenaient faiblement à Pom, qui courait en direction de son ami.

Un, deux, trois.
J'ai trouvé la clé.
Dans une coquille de noix.
Je l'ai bien cachée.

Un, deux, trois,
J'ai perdu ma clé.
Au fond des bois
Je l'ai lancée.

« Où est cette clé, Sam ? C'est toi qui l'a prise. Qu'en as-tu fait ? » cria Pom.

« Je l'ai perdue. Je ne me souviens pas où je l'ai lancée, » dit Sam, et il tourna les talons. Il dansait comme un fou dans le vent.

« Mon père est dans une fureur ! » annonça Pom.

« Ah bon ? » s'étonna Sam. « Je pensais que ça l'amuserait. »

« Il a faim. Il veut sortir, » fit-il gravement.

« Je n'avais pas pensé à ça. Je vais essayer de la trouver, Pom. »

Et tous les deux coururent dans les arbres, à la recherche d'un trou. C'est vraiment étonnant le nombre de trous et de cachettes qu'il peut y avoir dans un bois. Chaque arbre recélait un endroit où un Lièvre aurait pu cacher une minuscule clé.

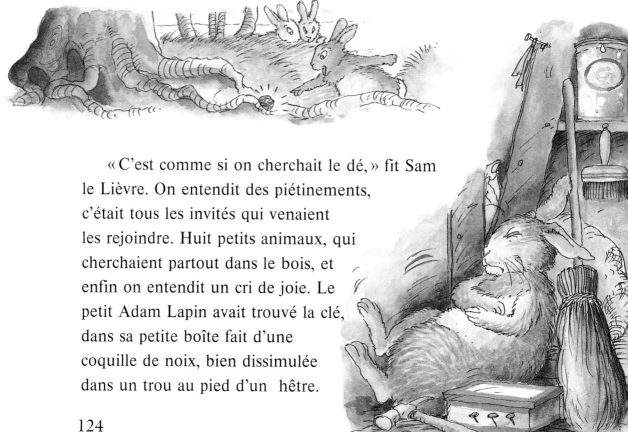

« C'est comme si on cherchait le dé, » fit Sam le Lièvre. On entendit des piétinements, c'était tous les invités qui venaient les rejoindre. Huit petits animaux, qui cherchaient partout dans le bois, et enfin on entendit un cri de joie. Le petit Adam Lapin avait trouvé la clé, dans sa petite boîte fait d'une coquille de noix, bien dissimulée dans un trou au pied d'un hêtre.

Quand Pom rentra, il trouva la pauvre Maman Lapin endormie sur le paillasson, et il entendit les ronflements de Papa Lapin en provenance de la cabane.

Pom déverrouilla la porte et réveilla son père.

« C'est toi, Pom ? » bâilla Papa Lapin. « Tu as trouvé la clé ? »

« Oui, Papa. Elle était dans un hêtre, » fit Pom, d'un air modeste.

« Etrange. Très étrange que la clé de notre cabane puisse se trouver dans un arbre, » fit Papa Lapin, en sortant de sa prison.

« Mais il y a tant de choses bizarres, de par le monde, » dit Maman Lapin. « Je suis heureuse qu'un Lapin pas comme les autres l'ait retrouvée. »

Pom toussota et rougit. Ils rentrèrent à la maison et bientôt Papa Lapin assis devant son pot-au-feu put entendre le récit de la fête.

« J'ai promis d'aller chez le jardinier pour raconter une histoire à ses enfants, » dit Pom.

« Raconte-leur comment j'ai été enfermé par Sam le Lièvre, » dit Papa Lapin.

« Comment l'as-tu su ? » s'écria Pom.

« Je ne veux pas rapporter, » fit doucement Papa Lapin, et c'est tout ce qu'on put en tirer.

Ce soir-là, Pom alla chez le jardinier et s'installa sur le rebord de la fenêtre. Il raconta son histoire aux enfants du jardinier, et ce qu'il leur dit, je vous le raconterai la prochaine fois.

LE LION NOBLE ET COURAGEUX

Il était une fois un lion noble et courageux. Chaque matin, il allait dans la jungle pousser son rugissement puissant. Ce rugissement était si terrifiant que tous les animaux s'enfuyaient pour se cacher ; et il était si sonore que le sol tremblait et que les feuilles tombaient des arbres.

« Ça leur fera voir qui est-ce qui commande ! » disait le lion noble et courageux.

Une nuit le bruit se répandit dans la jungle qu'il allait pleuvoir.

« Il va y avoir un gros orage, » dit la petite souris. « Il faut tous nous mettre à l'abri ».

Les animaux les plus gros allèrent s'abriter dans des grottes, les plus petits dans des trous dans le sol, et les oiseaux se blottirent les uns contre les autres dans les arbres.

« Peuh ! » fit le Lion noble et courageux. « Un peu de pluie n'a jamais fait de mal à personne. » Et pour montrer comme il était noble et courageux, il grimpa au sommet de sa colline préférée et se coucha pour dormir. Il plut sans arrêt la nuit, mais le Lion dormit comme une souche.

Le lendemain, la pluie s'était arrêtée, et dans la jungle il régnait un calme inhabituel. La Souris se réveilla, renifla l'air et guetta le rugissement du Lion. Mais pour la première fois, il n'arriva pas.

C'est étrange, pensa la Souris.

Un à un les animaux émergèrent, sans la moindre frayeur, puisque le Lion ne se montrait pas. La Souris était curieuse de savoir ce qui lui était arrivé.

« Je pense que nous devrions aller le voir, » couina-t-elle.

« Et pourquoi ça ? » grommela la Girafe. « Il fait toujours l'intéressant, en rugissant pour nous effrayer. »

« Je reconnais qu'il fait beaucoup de bruit, » dit la Souris, « mais t'a-t-il déjà fait du mal ? »

Les animaux durent reconnaître que le Lion n'avait jamais fait de mal à aucun d'entre eux.

Alors les animaux partirent à la recherche du Lion. Ils le trouvèrent au sommet de sa colline. Il ouvrit la gueule pour rugir, mais il ne put sortir qu'un faible couinement, suivi par un ATCHOUM ! Ce n'était plus un lion noble et courageux - c'était un pauvre lion détrempé, flasque, larmoyant, avec des moustaches dégoulinantes.

« Tu n'as plus l'air si effrayant maintenant, » dit la Souris bravement. « Je crois que tu as une attaque de malus à la gorjus. Ça s'attrape en rugissant et en dormant sous la pluie. Nous pouvons te guérir, mais à la condition que tu promettes de ne plus nous effrayer. »

Le lion tenta de dire « Promis, » mais il ne put que couiner et hocher la tête.

Pendant deux jours entiers, ils soignèrent ct réconfortèrent le Lion ; et pendant deux nuits entières, le Lion dormit et rêva et éternua et toussa. Mais au matin du troisième jour, il commença à se sentir mieux.

Le Lion noble et courageux se leva et s'étira. « Bonjour les animaux, » fit-il poliment. Mais il n'eut pas de réponse. Il descendit la colline et pénétra dans la jungle en appelant, « Tigre ! Hippopotame ! Girafe ! Petite Souris ! Il n'y a personne ? »

Mais la jungle était aussi triste et silencieuse que si les animaux n'avaient jamais existé.

Le Lion les chercha très loin dans la jungle. Et soudain, il vit la petite Souris se précipiter vers lui.

« Oh, Lion courageux, » cria-t-elle. « Viens vite. Pendant que tu dormais, deux chasseurs sont venus et ont mis les animaux dans une cage. Ils vont quitter la jungle pour être montrés dans un cirque. Moi je suis si petite que je suis arrivée à passer entre les barreaux. »

135

Quand le Lion entendit le récit de la Souris, il sentit sa noblesse et son courage revenir. La jungle ne serait plus la jungle sans les animaux. «Grimpe sur mon dos, ma petite,» dit-il. Nous allons les retrouver.»

Ils marchèrent pendant très longtemps, et arrivèrent à l'orée de la jungle. Dans le clair de lune, le Lion et la Souris virent deux chasseurs assis devant un feu de camp. Les pauvres animaux étaient enfermés dans une cage. La trompe de l'Eléphant était toute écrasée, et le cou de la girafe coincé entre les barreaux.

Cette nuit-là, le Lion et la Souris se couchèrent l'un près de l'autre et tentèrent de dresser un plan pour sauver les animaux.

Et avant que le soleil se soit levé sur la jungle, ils avaient leur plan. La souris s'installa sur la tête du Lion de façon à être vue au-dessus d'un buisson. Elle couina assez fort pour que les chasseurs l'entendent.

«C'est la souris qui s'est échappée!» cria un des chasseurs.

«Courons-lui après!» hurla l'autre.

Le lion surgit alors de derrière le buisson, et poussa le plus fort et le plus terrible rugissement qu'il ait jamais poussé. ROARRRRRR! «Ça leur apprendra!» dit le Lion noble et courageux.

137

Les chasseurs terrifiés tombèrent à la renverse, lâchant du même coup leurs fusils et les clés de la cage. La Souris alla les ramasser et courut libérer les animaux.

Sur le chemin du retour, le Lion réalisa qu'il ne s'était jamais senti aussi noble et aussi courageux.

Et il tint sa promesse de ne plus jamais effrayer les animaux.

Mais si ces chasseurs revenaient... Ça ce serait une autre histoire !

139

LE MANTEAU D'HIVER DE ROBERT

Au Parc National de Smoky Hills, c'était la plus chaude journée de l'été, et Robert ne savait plus où se mettre. Il alla trouver sa mère pour lui demander ce qu'il pouvait faire.

« Maman, » dit-il « J'ai si chaud que c'est comme si j'explosais. Si seulement je n'avais pas une fourrure aussi épaisse... »

Maman le regarda. Il pouvait se montrer si stupide parfois !

« Va te mettre à l'ombre de ces gros rochers à côté de ton père. Et arrête de sauter comme ça. » Mais Robert ne fut pas du tout d'accord. Il ne pouvait pas rester en place plus de cinq secondes. « Je ne veux pas, Maman, Papa est un gros paresseux qui reste couché toute la journée... »

Grand-Père, qui se trouvait non loin de là, hocha la tête et dit :
« Laisse-lui donc faire ce qu'il veut, Rosanna... »
Mais Maman lui flanqua quand même une calotte pour avoir
été insolent.

« Et maintenant va te mettre dans un coin, et laisse-moi
tranquille, mon petit. »

Alors Robert partit dans la forêt. Que pourrait-il faire pour se
rafraîchir ? Il se souvint des animaux bizarres qui vivaient dans la
plaine, et il descendit la rivière jusqu'en bas de la montagne - c'était
si bon et si rafraîchissant de nager ! - et quand il vit ce petit
hameau de cabanes en bois dans le lointain, il sortit de l'eau et
rampa pour ne pas se faire voir. Il ne voulait pas les effrayer...

Quand il arriva près de la première cabane, il se dressa et regarda par la fenêtre. Les petits étaient assis autour de la table et à l'angle le plus éloigné de la pièce se tenait le père, celui qu'il voulait tant voir...

Il était face au mur, et se tenait le visage avec une patte, juste comme Robert l'avait vu faire auparavant. Ensuite cela se passa ainsi : le père attrapa avec sa patte quelque chose de long, de mince et de brillant, il le trempa dans un petit bol blanc, le secoua et commença à se frotter le visage avec.

Robert faillit sauter de joie quand il vit que les poils de son visage tombaient, mais il n'osa pas. Il ne voulait pas faire un bruit qui risquerait de tout gâcher. Alors il resta là, à regarder, et bientôt le visage du père fut aussi lisse qu'une pierre dans le désert...

Robert se fit tout petit ; de temps en temps, il les entendait ouvrir la porte et piétiner dehors. Puis il entendit un coup de fusil - il sursauta - puis un grognement sourd qui augmenta puis se fit de plus en plus faible. Il regarda au coin de la cabane et tout ce qu'il put voir, ce fut de la poussière qui retombait.

Robert n'était qu'un petit ours, mais pourtant il ne mit pas longtemps à enfoncer la porte avec son épaule, à se glisser à l'intérieur, à ramasser la chose brillante et à se sauver. Courir n'était plus aussi pénible, car le soleil descendait déjà derrière la montagne.

Juste avant le lever du jour, Robert se glissa hors de la grotte où tous les autres ours dormaient encore, et il se trouva un coin de forêt à l'ombre, bien tranquille. Il s'assit et observa la chose mince et brillante qu'il tenait dans sa patte. Puis il commença à se frotter le bras avec, d'abord tout doucement, car il avait un peu peur, puis il fit des passages plus appuyés, et à chaque passage un petit tas de fourrure tombait à ses pieds !

Quelques minutes plus tard, il avait l'air tellement changé qu'il ne savait pas si sa propre mère arriverait à le reconnaître. Il n'était plus brun et couvert de poils comme avant, mais lisse et rose, partout ! A part les griffes, bien-sûr...

Quand il se redressa, il se sentit si au frais et si léger sur ses pattes qu'il fit des bonds sans s'arrêter, et au moins vingt ou trente cabrioles - en arrière, en avant, sur le côté.

Il remarqua que la poussière, dans laquelle il s'était roulé, avait changé à nouveau sa couleur, et qu'il était maintenant couleur de terre.

Mais il pensa qu'après tout, il préférait être un ours rose et il se mit à se lécher pour se laver ; quand il eut fini, il se sentit si fatigué qu'il s'allongea au soleil et s'endormit.

Quand Robert se réveilla, le soleil était haut dans le ciel et quand il s'en rendit compte, il pensa qu'il allait encore se sentir fatigué et qu'il aurait trop chaud, aussi il commença à marcher, tout doucement, tout doucement vers la grotte. Mais quand il sentit la brise fraîche sur sa peau, il se regarda et se souvint soudain qu'il était différent. Il était bien au frais, et si léger qu'il pouvait courir et sauter autant qu'il voulait, alors il se mit à courir à toute vitesse. Il avait tellement envie de montrer à tous ce qu'il avait fait, il était si content d'être le seul ours rose au monde !

Il vit Maman, étendue à côté de Papa à l'ombre de son rocher, les yeux fermés.

«Maman !» cria-t-il ; «regarde-moi ! Je n'ai plus chaud du tout !»

«Ne m'embête pas maintenant, Robert,» fit-elle, «Je dors».

«Mais Maman, regarde-moi, regarde ce que je me suis fait...»

Sa mère soupira et ouvrit lentement un œil.

«Pour l'amour de Dieu, Robert,» dit-elle en se soulevant de terre, «qu'as-tu fait de ton beau manteau de fourrure ?»

«Je l'ai enlevé, maman. Il faisait si chaud...»

Mais il ne lui dit pas *comment* il l'avait enlevé. Il voulait garder son secret. Il ne voulait pas que les autres ours soient aussi tout roses...

Puis il entendit une voix derrière lui, la voix de sa sœur Clémentine, qui disait :

«Eh, venez tous voir ce que Robert s'est fait. Il est tout rose - à part la petite rayure le long de son dos...»

Ils se tenaient tous autour de lui, le montrant du doigt en riant :

« A quoi elle te sert, cette rayure dans ton dos, Robert ? Es-tu en train de te transformer en blaireau ? »

Robert se dévissa la tête autant qu'il put, mais il n'arrivait pas à voir son dos, et il ne pouvait pas non plus la sentir, cette bande de fourrure le long de son dos, parce que ses pattes n'étaient pas assez longues pour l'atteindre...

Il baissa la tête, honteux. Ils le regardaient tous maintenant, ils se moquaient de lui, et même Papa fronçait le sourcil, sans dire un seul mot... Seul Grand-Père se mit de son côté et dit :

« Laissez-le donc faire ce qu'il veut... »

Mais il était vieux, et personne ne l'écoutait plus, pas même Robert.

Alors Robert retourna dans la forêt et s'assit sous un arbre jusqu'à ce que le soleil se couche ; il commença à avoir froid, si froid, qu'il se mit à frissonner dans l'obscurité, et il dut se recouvrir de feuilles pour trouver un peu de chaleur. Il ne retourna pas à la grotte cette nuit-là, et personne ne vint le chercher.

Le lendemain fut la journée la plus horrible qu'il ait jamais vécu. Le ciel bleu avait viré au gris. Et bientôt un vent froid commença à souffler et à gémir dans les arbres de la forêt, soulevant les feuilles en tas mouillés et collants ; la pluie arriva à son tour, transformant la terre en boue jaune. Robert ne savait où aller pour se réchauffer. Il courut sans s'arrêter, jusqu'à ce qu'il trouve une grotte, un peu comme celle de ses parents ; il s'assit à l'entrée, et regarda dehors. Il n'était plus mouillé mais il avait toujours froid et il se sentait très malheureux. Puis il pensa : « Il me *faut* ma fourrure. Si je ne la récupère pas, je vais mourir de froid. »

Puis il eut une nouvelle idée. Il se souvint de quelque chose d'autre à propos de ces animaux étranges qui vivaient dans la plaine... Aussi, il descendit de la montagne sous la pluie battante, en suivant la rivière, mais cette fois il ne la descendit pas à la nage, car il était déjà aussi trempé qu'il pouvait l'être. Arrivé à la cabane en bois, Robert regarda à nouveau par la fenêtre.

Ceux qu'il avait vus la dernière fois étaient partis, et maintenant il n'en restait plus que deux, une mère et un père, et il les vit assis par terre qui regardaient un mur de flammes orange ; Robert fut terrifié en voyant le feu, car c'était le feu qui dévorait les forêts et les obligeait à se retirer très haut dans la montagne, pas seulement les ours, mais aussi les ratons-laveurs, les mouffettes, et tous les animaux. Soudain la mère se leva, alla chercher une grande boîte et en tira quelque chose avec sa patte. Robert ecarquilla les yeux. C'était un manteau, un grand manteau de fourrure brune, exactement comme le sien...

Robert fut si excité qu'il fit le tour de la maison et frappa à la porte ; une seconde plus tard la mère ouvrit, mais avant qu'il ait pu lui dire ce qu'il voulait, elle se mit à crier si fort que Robert se sauva ; il n'alla pas très loin, juste à l'abri d'un bosquet d'arbres voisin. Il les vit partir sur la route en se tenant par la main, et la mère criait toujours.

Robert se précipita dans la cabane, saisit le manteau dans sa gueule, et repartit dans la montagne.

Quand il arriva à la grotte, le manteau toujours entre ses dents, sa maman lui dit qu'il avait eu grand tort de se sauver, rose ou pas rose, mais qu'elle était tout de mêmc contente de le revoir malgré tous ses défauts. Robert avait si froid et il était si fatigué qu'il rentra dans la grotte, s'allongea à côté de son Père, et tira son manteau sur lui.

Chaque fois qu'il faisait froid, il faisait la même chose : il tirait son manteau sur lui quand il se couchait, ou demandait à sa maman de le lui mettre sur le dos pendant la journée ; il fallait qu'il fasse bien attention de ne pas trop remuer, pour qu'il ne tombe pas. Et si ça arrivait, il lui fallait ramper dessous et se remettre à quatre pattes tout doucement...

Robert ne courut et ne sauta pas trop cet hiver là.

Mais un jour, il n'eut plus si froid - même sans son manteau - et quand il le dit à sa mère, elle le regarda en disant : « C'est parce que ta fourrure repousse , Robert. »

Il se regarda, et vit qu'il n'était plus tout rose. Il devenait à nouveau brun. Et sa peau n'était plus aussi lisse, mais un peu rugueuse...

Aussi un matin de printemps, Robert ramena son vieux manteau de fourrure, son manteau d'hiver, en bas de la montagne, dans sa gueule. Il nagea même un moment avec dans la rivière. Et il le déposa devant la porte de la cabane, ne sachant pas quoi faire d'autre, car quand il regarda par la fenêtre il vit qu'il n'y avait plus personne.

Peut-être que ces animaux bizarres ne vivent plus là, se dit-il. Quant à cet objet long, mince et brillant, il ne l'avait pas rapporté, parce qu'il avait rouillé pendant l'hiver...

PRUDENCE LA POULE

Un matin, Prudence la Poule
picorait tranquillement quand
- BING ! un gland lui tomba
sur la tête.

« Misère de misère ! »
fit Prudence la Poule. « Le ciel
va nous tomber sur la tête,
il faut que j'aille avertir
le Roi. »

« Et Prudence la Poule se mit en
chemin. Elle rencontra Constant le Coq. »

« Bien le bonjour,
Constant le Coq ». dit-elle. « Bien le bonjour, Prudence la Poule, »
répondit Constant le Coq. « Et
où vas-tu donc, de
si bonne heure ? »

« Je vais dire au Roi que le ciel va nous tomber sur la tête, »
répondit Prudence la Poule.

« Est-ce que je peux venir avec toi ? » demanda Constant le Coq.

152

«Mais bien sûr,» fit Prudence la Poule.

Et Prudence la Poule et Constant le Coq partirent ensemble dire au Roi que le ciel allait leur tomber sur la tête. Ils marchèrent, ils marchèrent, jusqu'à ce qu'ils rencontrent Clément le Canard.

«Et où allez-vous donc tous les deux, Prudence la Poule et Constant le Coq?» demanda Clément le Canard.

«Nous allons dire au roi que le ciel va nous tomber sur la tête,» dirent Prudence la Poule et Constant le Coq.

«Est-ce que je peux venir avec vous?» demanda Clément le Canard.

«Mais bien sûr,» firent Prudence la Poule et Constant le Coq. Alors Prudence la Poule, Constant le Coq et Clément le Canard partirent ensemble dire au Roi que le ciel allait leur tomber sur la tête. Ils marchèrent, ils marchèrent, jusqu'à ce qu'ils rencontrent Olivia l'Oie.

«Et où allez-vous donc Prudence la Poule, Constant le Coq et Clément le Canard?» demanda Olivia l'Oie.

« Nous allons dire au Roi que le ciel va nous tomber sur la tête, » firent Prudence la Poule, Constant le Coq et Clément le Canard. « Est-ce que je peux venir avec vous ? » demanda Olivia l'Oie.

« Mais bien sûr, » firent Prudence la Poule, Constant le Coq et Clément le Canard.

Alors Prudence la Poule, Constant le Coq, Clément le Canard et Olivia l'Oie partirent ensemble dire au Roi que le ciel allait leur tomber sur la tête, ils marchèrent, ils marchèrent, jusqu'à ce qu'ils rencontrent Désirée la Dinde.

« Et où allez-vous donc Prudence la Poule, Constant le Coq, Clément le Canard et Olivia l'Oie ? » demanda Désirée la Dinde. « Nous allons dire au Roi que le ciel va nous tomber sur la tête, » firent Prudence la Poule, Constant le Coq, Clément le Canard et Olivia l'Oie.

« Est-ce que je peux venir avec vous ? » demanda Désirée la Dinde.

« Mais bien sûr, » firent Prudence la Poule, Constant le Coq, Clément le Canard et Olivia l'Oie.

Alors Prudence la Poule, Constant le Coq, Clément le Canard, Olivia l'Oie et Désirée la Dinde partirent ensemble dire au Roi que le ciel allait leur tomber sur la tête. Ils marchèrent, ils marchèrent jusqu'à ce qu'ils rencontrent Roméo le Renard.

« Et où allez-vous donc tous Prudence la Poule, Constant le Coq, Clément le Canard, Olivia l'Oie et Désirée la Dinde par cette belle matinée ? » demanda Roméo le Renard.

156

« Si tu veux vraiment le savoir, » dirent Prudence la Poule, Constant le Coq, Clément le Canard, Olivia l'Oie et Désirée la Dinde, « Nous allons tous dire au Roi que le ciel va nous tomber sur la tête ».

« Mais voyons, » fit Roméo le Renard, « voyons, ce n'est pas le chemin du palais du Roi, Prudence la Poule, Constant le Coq, Clément le Canard, Olivia l'Oie et Désirée la Dinde. Suivez-moi donc, et je vais vous montrer le bon chemin. Voulez-vous venir avec moi ? »

« Oh, c'est vraiment très aimable à toi, Roméo le Renard, » firent Prudence la Poule, Constant le Coq, Clément le Canard, Olivia l'Oie et Désirée la Dinde.

Et Prudence la Poule, Constant le Coq, Clément le Canard, Olivia l'Oie, Désirée la Dinde et Roméo le Renard partirent ensemble dire au Roi que le ciel allait leur tomber sur la tête.

Ils marchèrent, ils marchèrent, jusqu'à ce qu'ils arrivent à un trou très, très sombre.

Mais ce trou sombre, très sombre, c'était en réalité l'entrée de la tanière de Roméo le Renard. Mais bien sûr, Roméo le Renard était bien trop rusé pour le leur dire. Au lieu de cela il annonça : « C'est un raccourci pour aller au palais. Suivez-moi, et nous y serons en un clin d'œil. Je vais passer d'abord, et vous me suivrez, Prudence la Poule, Constant le Coq, Clément le Canard, Olivia l'Oie et Désirée la Dinde. »

« Mais bien sûr que nous allons te suivre, bien sûr, bien sûr, » répondirent Prudence la Poule, Constant le Coq, Clément le Canard, Olivia l'Oie et Désirée la Dinde.

Alors Roméo le Renard entra dans sa tanière très, très sombre, mais il n'alla pas très loin dans sa tanière très, très sombre. Au lieu de cela, il fit demi-tour et attendit que Prudence la Poule, Constant le Coq, Clément le Canard, Olivia l'Oie et Désirée la Dinde entrent à leur tour.

Ce que Roméo le Renard avait l'intention de faire quand ils seraient tous à l'intérieur, c'était de les manger tous. Mais heureusement pour Prudence la Poule, Constant le Coq, Clément le Canard, Olivia l'Oie et Désirée la Dinde, comme ils étaient sur le point de pénétrer dans le trou sombre, un petit oiseau, perché sur un arbre, les vit et se rendit compte de ce qui allait arriver. Alors il se mit à crier très fort :

« Attention, Prudence la Poule, Constant le Coq, Clément le Canard, Olivia l'Oie et Désirée la Dinde. Si vous ne voulez pas être tous dévorés par Roméo le Renard, vous feriez mieux de rebrousser chemin et de rentrer chez vous aussi vite que vous le pourrez ».

Ils rebroussèrent chemin juste à temps et coururent tout le long du chemin aussi vite qu'ils purent. Ce qui fait que Roméo le Renard n'eut jamais l'excellent souper qu'il avait prévu, et que le Roi ne sut jamais que le ciel allait lui tomber sur la tête.

DES MILLIONS DE CHATS

Il était une fois un très vieux monsieur et une très vieille dame qui vivaient dans une jolie petite maison avec des fleurs tout autour, sauf devant la porte. Mais ils n'étaient pas heureux, parce qu'ils étaient tout seuls.

« Si seulement nous avions un chat ! » soupira la très vieille dame.

« Un chat ? » demanda le très vieux monsieur.

« Oui, un gentil petit chat tout doux, » fit la très vieille dame.

« Je vais t'en chercher un, bichette, » dit le très vieux monsieur.

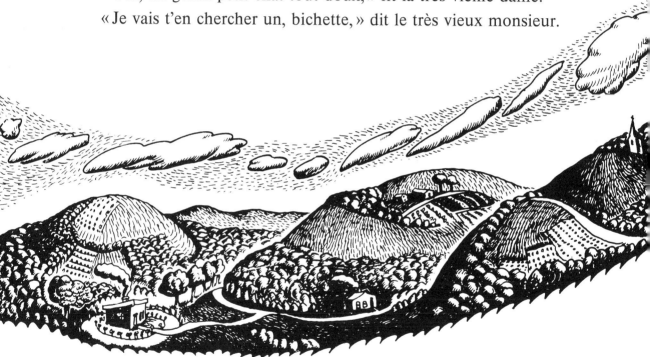

Il partit par-delà les collines pour chercher un chat. Il franchit les collines ensoleillées et les fraîches vallées. Il marcha longtemps, longtemps, et enfin il arriva sur une colline qui était couverte de chats.

Des chats par-ci, des chats par-là,
Des chats et des chatons partout,
Des centaines de chats,
Des milliers de chats,
Des millions, des milliards et des trillions de chats.

« Oh, » s'écria le vieux monsieur tout joyeux, « Je n'ai plus qu'à choisir le chat le plus joli et à le ramener à la maison ! » Alors il en choisit un. Il était blanc.

Mais comme il allait partir, il en vit un autre, noir et blanc, et il était aussi beau que le premier. Alors, il le prit aussi.

C'est alors qu'il aperçut un chaton gris, avec de longs poils qui était exactement aussi mignon que les autres, alors il le prit aussi.

Puis il en vit un, dans un coin, et il pensa qu'il était trop beau pour qu'il le laisse, et il le prit aussi.

Et juste à ce moment, plus loin, le très vieux monsieur vit un chaton noir superbe.

« Ce serait vraiment dommage de laisser celui-là, » dit le très vieux monsieur. Et il le prit.

Plus loin, il vit un chat avec des rayures jaunes et brunes, exactement comme un bébé-tigre.

« Il faut que je le prenne ! » cria le très vieux monsieur en l'emportant.

Et chaque fois que le très vieux monsieur levait les yeux, il voyait un autre chat si joli qu'il ne pouvait pas le laisser, et avant qu'il s'en soit rendu compte, il les eut tous choisis.

Alors il repassa les collines ensoleillées, et les fraîches vallées, pour aller montrer tous ses jolis petits chats à la très vieille dame.

C'était très drôle de voir ces centaines, ces milliers, ces millions, ces milliards et ces trillions de chats qui le suivaient.

Ils arrivèrent à un étang.

« Miaou, miaou ! Nous avons soif ! » miaulèrent les centaines, les milliers, les millions, les milliards et les trillions de chats.

« Eh bien, il y a suffisamment d'eau, » dit le très vieux monsieur.

Chaque chat but une gorgée d'eau, et il n'y eut plus d'étang !

« Miaou, miaou ! Maintenant nous avons faim ! » dirent les centaines, les milliers, les millions, les milliards et les trillions de chats.

« Il y a beaucoup d'herbe sur les collines, » dit le très vieux monsieur.

Chaque chat mangea une bouchée d'herbe, et il n'en resta plus un seul brin !

Bientôt la très vieille dame les vit arriver.

« Mon chéri ! » s'écria-t-elle, « Qu'est-ce que tu fais ? J'ai demandé un petit chat, et qu'est-ce que je vois ? -

- Des chats par-ci, des chats par-là,
Des chats et des chatons partout,
des centaines de chats,
des milliers de chats,
des millions, des milliards et des trillions de chats.

« Mais on ne pourra jamais les nourrir tous, » dit la très vieille dame, « Ils vont nous mettre sur la paille en un rien de temps. »

« Je n'avais pas pensé à ça, » dit le très vieux monsieur.

« Qu'allons-nous faire ? »

La très vieille dame réfléchit un moment puis elle dit, « Je sais ! Nous allons laisser les chats décider lequel nous allons garder. »

« D'accord, » dit le très vieux monsieur. Il cria aux chats, « Lequel d'entre vous est le plus joli ? »

« C'est moi ! »

« C'est moi ! »

« Non, c'est moi ! »

« Non, c'est moi le plus joli ! » « C'est moi ! »

« Non, c'est moi ! C'est moi ! » crièrent les centaines, les milliers, les millions, les milliards et les trillions de chats, car chacun d'eux se croyait le plus joli.

Alors ils commencèrent à se bagarrer.

Ils se mordirent, s'égratignèrent et se griffèrent et firent un tel raffut que le très vieux monsieur et la très vieille dame rentrèrent chez eux à toute vitesse. Ils n'aimaient pas les bagarres. Mais au bout de quelque temps, le raffut s'arrêta, et le très vieux monsieur et la très vieille dame regardèrent par la fenêtre pour voir ce qui s'était passé. Ils ne virent plus un seul chat !

« Je pense qu'ils se sont tous dévorés entre eux, » dit la très vieille dame. « C'est trop triste ! » « Mais regarde ! » dit le très vieux monsieur, et il montra une touffe d'herbes hautes. Au milieu, il y avait un petit chaton effrayé. Ils sortirent pour aller le chercher. Il était tout maigre et décharné.

« Pauvre petit minou, » dit la très vieille dame.

« Cher petit minou, » dit le très vieux monsieur, « comment cela se fait-il que tu n'aies pas été dévoré avec ces centaines, ces milliers, ces millions, ces milliards et ces trillions de chats ? »

« Oh, c'est que je suis juste un petit chat sans prétentions, » dit le chaton, « Aussi, quand vous avez demandé qui était le plus joli, je n'ai rien dit. Et personne n'a fait attention à moi. »

Ils emmenèrent le chaton chez eux ; la très vieille dame lui donna un bain chaud et le brossa jusqu'à ce que ses poils soient doux et brillants.

Chaque jour, ils lui donnèrent du lait en grande quantité -
- et bientôt il fut bien dodu.

« Finalement, c'est un très joli chat ! » dit la très vieille dame.

« C'est le plus beau chat du monde, » dit le très vieux
monsieur.

« Et je peux le dire parce que j'ai vu des centaines, des
milliers, des millions, des milliards et des trillions dc chats -
mais je n'en ai jamais vu un aussi joli que celui-là. »

REMERCIEMENTS

Tout le soin possible a été apporté, lorsque le matériel était toujours sous copyright, pour que les sources soient citées et remerciées comme il convient. Si des erreurs s'étaient produites, l'éditeur s'engage à les corriger dans les éditions à venir, si notification lui en est faite. L'éditeur remercie les personnes lui ayant donné l'autorisation de reproduire les œuvres suivantes :

« Gros-Eléphant et Petit-Eléphant » et « Pécari l'a dit » tirés de « **The Anita Hewett Animal Story Book** » par Anita Hewett (Bodley Head).
Reproduits avec l'autorisation de l'auteur.

« Le Lion et ses amis » © 1991 par Anne Forsyth.
Reproduit avec l'autorisation de l'auteur.

« L'arbre Pacané » et « Un travail de singes » par Stephen Corrin.
Reproduits avec l'autorisation de l'auteur.

« Comment l'Ours Blanc devint Ours Polaire » par Ted Hughes.
Reproduit avec l'autorisation de Faber & Faber Ltd. Tiré de **How the Wale became and Other Stories** par Ted Hughes.

« La Chasse » tiré de **Fantastic Mr Fox** par Roald Dahl (Unwin Hyman & Penguin Books Ltd.

« Le chien le plus affectueux du monde » © 1991 par Anne Forsyth.
Reproduit avec l'autorisation de l'auteur.

« L'anniversaire de Pom le Lapin » par Alison Uttley.
Reproduit avec l'autorisation de Faber & Faber Ltd, tiré de **The Adventures of Tim Rabbit** par Alison Uttley.

« Le Lion Noble et Courageux » par Ann et Reg Cartwright.
Reproduit avec l'autorisation de Beaver Books.

« Le manteau d'hiver de Robert » © 1991 par Michael Glover.
Reproduit avec l'autorisation de l'auteur.

« Des Millions de Chats » par Wanda Ga'g.
Reproduit avec l'autorisation de Faber & Faber Ltd d'après **Millions of Cats** par Wanda Ga'g.

REMERCIEMENTS POUR LES ILLUSTRATIONS

L'éditeur tient à remercier les personnes qui ont autorisé la reproduction des illustrations suivantes :

« Le Lion et ses Amis ». Illustrations de Karin van Heerden.
Reproduit avec l'autorisation de l'artiste.

« Les Trois Petits Cochons ». Illustrations de L. Leslie Brooke.

« Le Lièvre et la Tortue ». Illustrations © 1991 par Angel Dominguez.

« Le Lion noble et courageux ». Illustrations de Ann et Reg Cartwright.
Reproduites avec l'autorisation de Beaver Books.

« Des Millions de Chats ». Illustrations de Wanda Ga'g.
Reproduites avec l'autorisation de Faber & Faber Ltd de **Millions of Cats** par Wanda Ga'g.

Toutes les autres illustrations © 1991 par Martin Ursell.